义务教育教科书

数学

六年级

上册

人民教育出版社 课程教材研究所
小学数学课程教材研究开发中心 | 编著

人民教育出版社
·北京·

主　　编：卢　江　杨　刚
副 主 编：王永春　陶雪鹤

主要编写人员：曹艺冰　李光树　曹培英　胡　涛　李晓梅　斯苗儿　陶雪鹤
王永春　丁国忠　张　华　周小川　熊　华　刘　丽　刘福林
责任编辑：丁国忠
美术编辑：郑文娟

封面设计：吕　旻　郑文娟
版式设计：北京吴勇设计工作室
插　　图：北京吴勇设计工作室（含封面）

经河北省教育厅推荐使用

义务教育教科书
数　学
六年级　上册
人民教育出版社　课程教材研究所
小学数学课程教材研究开发中心　编著
*
人民教育出版社 出版
（联系地址：北京市海淀区中关村南大街17号院1号楼　邮编：100081）
网址：http: //www. pep. com. cn
河北省出版总社有限责任公司重印
河 北 省 新 华 书 店 发 行
河北新华联合印刷有限公司印刷
*
开本：787毫米×1 092毫米　1/16　印张：7.75　字数：155 000
2014年3月第1版　2016年5月第3次印刷
印数：986,401-1,296,400册
ISBN 978-7-107-28088-7　定价：7.40元
冀价管〔2016〕86号　冀价审〔2016〕109012　全国价格举报电话:12358

编者的话

亲爱的同学们：

愉快的暑假结束了，从今天起，聪聪和明明又将带领你们去遨游广阔而又奇妙的数学王国。

在前面的学习中，你们已经掌握了分数加、减法运算的方法。在本学期，数的运算又将扩展到分数乘法和分数除法，这两个单元的内容也是后面学习比和百分数的重要基础。

以前你们学过利用数对来确定物体位置的方法，在本学期，你们将学到一种利用方向与距离来确定物体位置的新方法。

你们已经认识了包括圆在内的许多平面图形。在本学期，你们将了解更多的有关圆的知识，通过自己的活动与思考，探索圆的特征，了解圆的应用。结合本册书中扇形和百分数的有关知识，你们还将学习扇形统计图。

除此之外，我们还为你们准备了富有探索性的数学广角。在这里，你们会惊叹于数与形的完美结合，感受数学之美。

同学们，千里之行，始于足下，你们准备好了吗？那就出发吧！

编者

2013 年 5 月

目　录

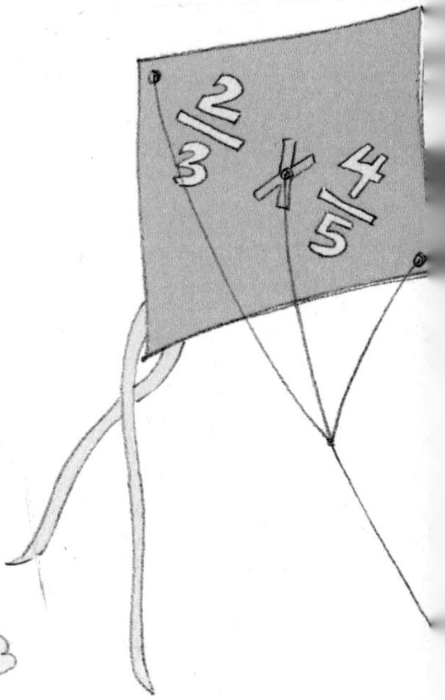

1 分数乘法

1 小新、爸爸、妈妈一起吃一个蛋糕，每人吃$\frac{2}{9}$个，3 人一共吃多少个？

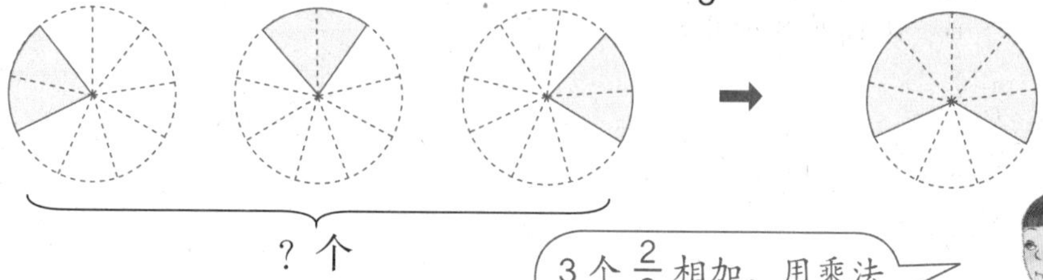

$\frac{2}{9}+\frac{2}{9}+\frac{2}{9}=\frac{6}{9}=\frac{2}{3}$（个）。

3 个$\frac{2}{9}$相加，用乘法表示就是$\frac{2}{9}\times3$或$3\times\frac{2}{9}$。

$$\frac{2}{9}\times3=\frac{2}{9}+\frac{2}{9}+\frac{2}{9}=\frac{2+2+2}{9}=\frac{2\times3}{9}=\frac{6}{9}=\frac{2}{3}\text{（个）}$$

分数与整数相乘，是怎样计算的？

分数乘整数，用分子乘整数的积作分子，分母不变。

能先约分的可以先约分，再计算，结果相同。

$$\frac{2}{9}\times3=\frac{2\times\overset{1}{\cancel{3}}}{\underset{3}{\cancel{9}}}=\frac{2}{3}\text{（个）}$$

做一做

1. 一袋面包重$\frac{3}{10}$ kg。

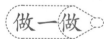

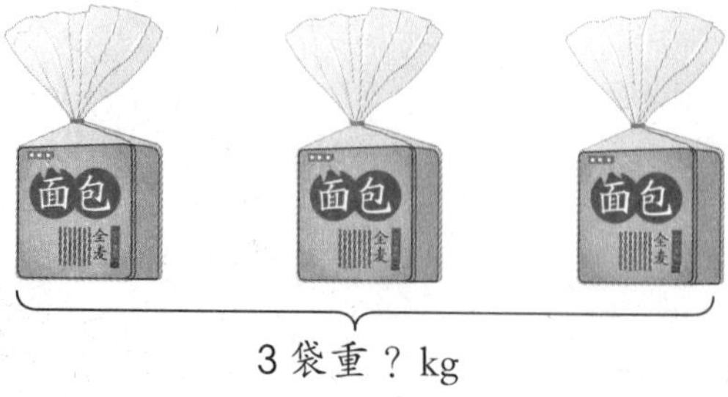

$\frac{3}{10}$ × 3 = $\frac{9}{10}$ (kg)

2. $\frac{2}{15}\times4=\frac{8}{15}$　　$\frac{5}{12}\times8=\frac{10}{3}$　　$2\times\frac{3}{4}=\frac{3}{2}$

2 1 桶水有 12 L。

3 桶共多少升？

算式：12×3。

想：求 3 个 12 L，就是求 12 L 的（ 3 ）倍是多少。

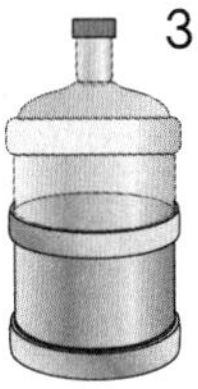

$\frac{1}{2}$ 桶是多少升？

根据什么列式的？

算式：$12\times\frac{1}{2}$。

想：求 12 L 的一半，就是求 12 L 的$\frac{(1)}{(2)}$是多少。

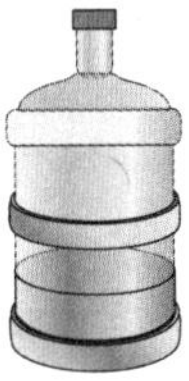

$\frac{1}{4}$ 桶是多少升？

算式：$12\times\frac{1}{4}$。

想：求 12 L 的$\frac{(1)}{(4)}$是多少。

在这里，一个数乘几分之几表示的是求这个数的几分之几是多少。

做一做

一袋面粉重 3 kg。已经吃了它的$\frac{3}{10}$，吃了多少千克？

$\boxed{3} \times \boxed{\frac{3}{10}} = \frac{9}{10}$（千克）

$= 3 \times \frac{3}{10}$

3 李伯伯家有一块 $\frac{1}{2}$ 公顷的地。

种土豆的面积占这块地的 $\frac{1}{5}$，种玉米的面积占$\frac{3}{5}$。

（1）种土豆的面积是多少公顷？

这是求$\frac{1}{2}$公顷的$\frac{1}{5}$是多少，怎么列式呢？

可以用 $\frac{1}{2}\times\frac{1}{5}$ 表示。

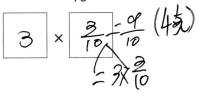

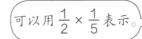

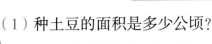

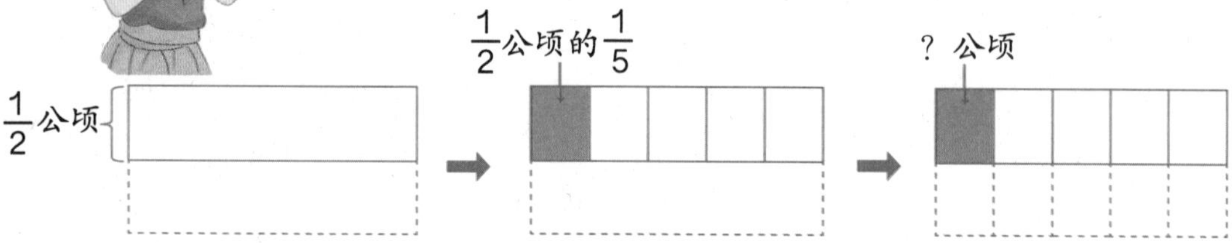

求$\frac{1}{2}$公顷的$\frac{1}{5}$，就是把$\frac{1}{2}$公顷平均分成5份，取其中的1份。也就是把1公顷平均分成(2×5)份，取其中的1份，即$\frac{1}{2\times5}\times1=\frac{1\times1}{2\times5}$。

$$\frac{1}{2}\times\frac{1}{5}=\frac{1\times1}{2\times5}=\frac{1}{10}\text{（公顷）}$$

（2）种玉米的面积是多少公顷?

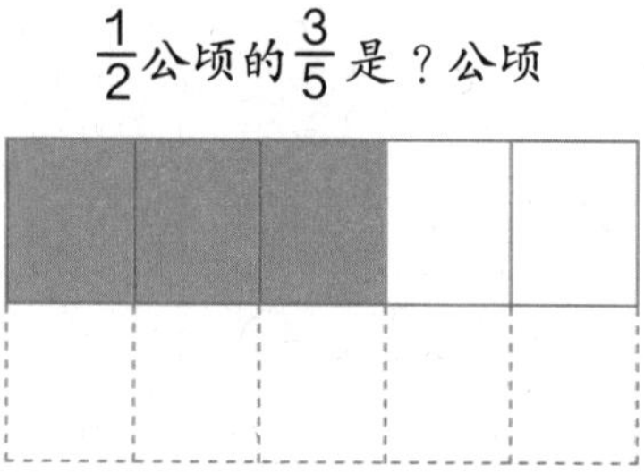

$$\frac{1}{2}\times\frac{3}{5}=\frac{\square\times\square}{\square\times\square}=\frac{\square}{\square}\text{（公顷）}$$

讨论：分数乘分数怎样计算?

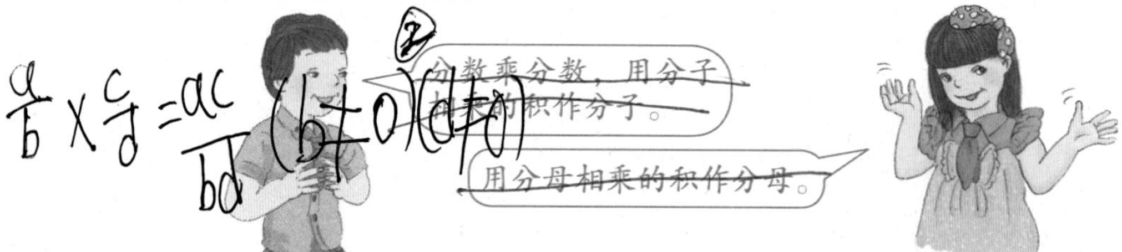

分数乘分数，用分子相乘的积作分子。
用分母相乘的积作分母。

做一做

1. 只列式，不计算。

（1）$\frac{4}{5}$ kg 的$\frac{1}{2}$是多少千克?　　□ × □

（2）$\frac{7}{12}$小时的$\frac{4}{7}$是多少小时?　　□ × □

2. 看图计算。

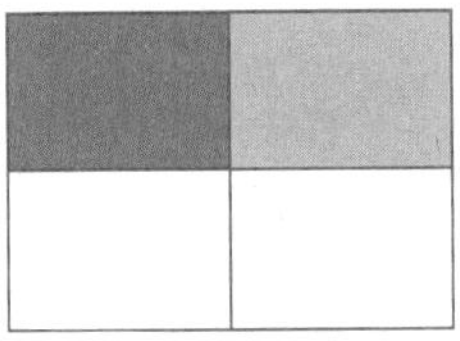
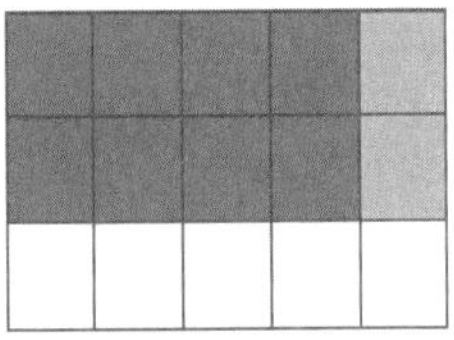
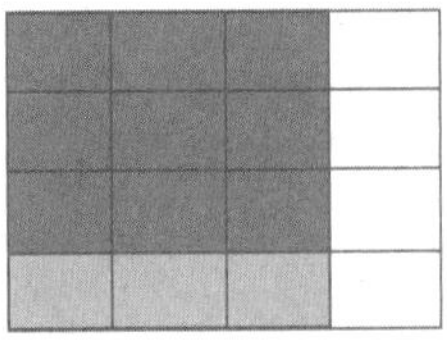

$\frac{1}{2}\times\frac{1}{2}=\frac{(\quad)}{(\quad)}$　　$\frac{2}{3}\times\frac{4}{5}=\frac{(\quad)}{(\quad)}$　　$\frac{3}{4}\times\frac{3}{4}=\frac{(\quad)}{(\quad)}$

3. 一面墙的面积是 20 m²，已经刷完了整面墙的 $\frac{1}{3}$。已经刷完的面积是多少平方米？

4 无脊椎动物中游泳最快的是乌贼，它每分钟可游 $\frac{9}{10}$ km。

（1）李叔叔每分钟游的距离是乌贼的 $\frac{4}{45}$。李叔叔每分钟游多少千米？

$$\frac{9}{10}\times\frac{4}{45}=\frac{\overset{1}{\cancel{9}}\times\overset{2}{\cancel{4}}}{\underset{5}{\cancel{10}}\times\underset{5}{\cancel{45}}}=\frac{2}{25}\text{（km）}$$

为了计算简便，可以先约分再乘。

（2）乌贼 30 分钟可以游多少千米？

$$\frac{9}{10}\times 30=\frac{9}{\underset{1}{\cancel{10}}}\times\overset{3}{\cancel{30}}=27\text{（km）}$$

分数乘法也可以这样直接约分。

做一做

1. $\frac{4}{7}\times\frac{1}{4}=$　　$\frac{8}{9}\times\frac{3}{10}=$　　$\frac{6}{7}\times\frac{11}{12}=$

2. 蜂鸟是目前所发现的世界上最小的鸟，也是唯一能倒飞的鸟。蜂鸟的飞行速度是 $\frac{3}{10}$ 千米/分，$\frac{2}{3}$ 分钟飞行多少千米？ 5 分钟飞行多少千米？

3. 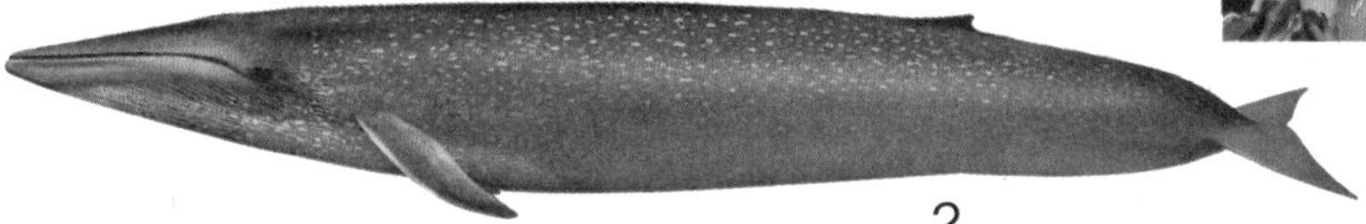

一头鲸长 28 m，一个人身高是鲸体长的 $\frac{2}{35}$。这个人身高多少米？

练习一

1. 填空。

（1）$\frac{3}{4}+\frac{3}{4}+\frac{3}{4}+\frac{3}{4}=$ ____ $\times$ ____ $=$ ____　　（2）$\frac{5}{8}+\frac{5}{8}+\frac{5}{8}=$ ____ $\times$ ____ $=$ ____

2.

每千克衣物用 $\frac{1}{2}$ 勺。
洗衣机里大约有 5 kg 的衣物。

一共需要放几勺洗衣粉？

3. 大约从一万年前开始，青藏高原平均每年上升约 $\frac{7}{100}$ m。按照这个速度，50 年它能长高多少米？100 年呢？

我还在长高！

4. （1）$\frac{1}{4}$ t 的 $\frac{3}{5}$ 是多少吨？　　（2）$\frac{3}{8}$ m 的 $\frac{3}{4}$ 是多少米？

5. 某种农药 $\frac{3}{2}$ kg 加水稀释后可喷洒 1 公顷的菜地。喷洒 $\frac{1}{5}$ 公顷菜地需要多少千克的农药？

6. 下面各题算得对吗？把不对的改正过来。

$4\times\frac{4}{7}=\overset{1}{\cancel{4}}\times\frac{\overset{1}{\cancel{4}}}{7}=\frac{1}{7}$　　　　$\frac{7}{10}\times\frac{6}{5}=\frac{7}{\underset{5}{\cancel{10}}}\times\frac{\overset{3}{\cancel{6}}}{5}=\frac{10}{10}=1$

7. 计算下面各题。

$\frac{2}{9}\times\frac{3}{5}$　　$\frac{6}{7}\times\frac{7}{9}$　　$\frac{5}{8}\times\frac{4}{15}$　　$\frac{9}{20}\times\frac{5}{21}$

$\frac{6}{5}\times\frac{5}{3}$　　$\frac{7}{25}\times\frac{15}{14}$　　$\frac{3}{11}\times\frac{1}{2}$　　$\frac{19}{50}\times\frac{10}{19}$

8. 据统计，2011 年世界人均耕地面积为 2500 m^2，我国人均耕地面积仅占世界人均耕地面积的 $\frac{53}{125}$。我国人均耕地面积是多少平方米？

9. 国家一级保护动物野生丹顶鹤，2001 年全世界约有 2000 只，我国占其中的 $\frac{1}{4}$。我国约有多少只？

10. 牛郎星运行速度是 26 千米 / 秒，织女星运行速度是牛郎星的 $\frac{7}{13}$。织女星每秒运行多少千米？

11. 全世界有桦树 40 种，我国桦树的种类占其中的 $\frac{11}{20}$。我国有多少种桦树？

12. 再生纸是以废纸作原料加工生产出来的纸张。回收的废纸可以加工出相当于废纸原重的 $\frac{4}{5}$ 的再生纸，因而被誉为低能耗、轻污染的环保型用纸。

（1）李阿姨的办公室整理出 80 kg 的废旧报纸、书籍，如果用于制造再生纸，可以制成多少千克的再生纸？

（2）据中国造纸协会统计，2010 年全国纸及纸板消费量约 9200 万吨，如果有 $\frac{2}{5}$ 可以回收利用，可回收利用的纸和纸板大约有多少万吨？

13. 儿童的负重最好不要超过体重的 $\frac{3}{20}$。如果长期背负过重物体，会导致腰痛及背痛，严重的甚至会妨碍骨骼成长。

（1）王明的书包超重吗？为什么？

（2）称一称你的体重，算一算你负重最好不要超过多少千克。

5 松鼠的尾巴长度约占身体长度的 $\frac{3}{4}$ 。

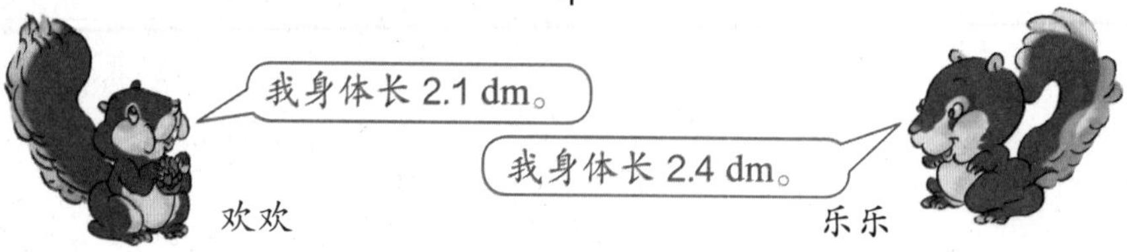

我身体长 2.1 dm。
我身体长 2.4 dm。
欢欢
乐乐

（1）松鼠欢欢的尾巴有多长？

$2.1\times\frac{3}{4}=$______（dm）

自己试着计算一下。

（2）松鼠乐乐的尾巴有多长？

这样约分计算真简便。

$2.4\times\frac{3}{4}$

$=\overset{0.6}{\cancel{2.4}}\times\frac{3}{\underset{1}{\cancel{4}}}$

$=1.8$（dm）

你是怎样计算的？和同学交流一下你的方法。

做一做

$1.2\times\frac{3}{5}=$　　$2.5\times\frac{3}{5}=$　　$1.4\times\frac{5}{6}=$　　$2.4\times\frac{5}{6}=$

6 一个画框的尺寸如右图，做这个画框需要多长的木条？

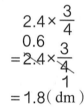

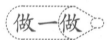

分数混合运算的顺序和整数混合运算的顺序相同。你会自己计算这两道算式吗？

$\left(\frac{4}{5}+\frac{1}{2}\right)\times 2$

$=$

$\frac{4}{5}\times 2+\frac{1}{2}\times 2$

$=$

观察每组的两个算式，看看它们有什么关系。

$\frac{1}{2}\times\frac{1}{3}\ \bigcirc\ \frac{1}{3}\times\frac{1}{2}$

$\left(\frac{1}{4}\times\frac{2}{3}\right)\times\frac{3}{5}\ \bigcirc\ \frac{1}{4}\times\left(\frac{2}{3}\times\frac{3}{5}\right)$

$\left(\frac{1}{2}+\frac{1}{3}\right)\times\frac{1}{5}\ \bigcirc\ \frac{1}{2}\times\frac{1}{5}+\frac{1}{3}\times\frac{1}{5}$

从这些算式中，你发现了什么规律？

整数乘法的交换律、结合律和分配律，对于分数乘法也适用。

应用乘法的运算定律，可以使一些计算简便。

7

$\frac{3}{5}\times\left(\frac{1}{6}\times 5\right)$

$=\frac{3}{5}\times\left(5\times\frac{1}{6}\right)$

$=$ ________

$=$ ________

$\left(\frac{5}{6}+\frac{1}{4}\right)\times 12$

$=\frac{5}{6}\times 12+\frac{1}{4}\times 12$

$=$ ________

$=$ ________

做一做

1. 用简便方法计算下面各题，并说一说运用了什么运算定律。

$\frac{2}{3}\times\frac{1}{4}\times 3$　　$\left(\frac{8}{9}+\frac{4}{27}\right)\times 27$　　$87\times\frac{3}{86}$

2. 奶牛场每头奶牛平均日产牛奶 $\frac{1}{50}$ t，42 头奶牛 100 天可产奶多少吨？

练 习 二

1. 计算下面各题。

$\frac{27}{50}\times2$　　$\frac{11}{28}\times\frac{8}{33}$　　$\frac{20}{39}\times7.8$

$\frac{7}{18}\times0.36$　　$\frac{5}{54}\times6$　　$\frac{9}{16}\times0.3$

2. 美国人均淡水资源量约为 1.38 万立方米，我国人均淡水资源量仅为美国的 $\frac{1}{6}$ 。我国人均淡水资源量是多少万立方米？

3. 鸵鸟是现在世界上最大的鸟，身高可达 2.5 m。一只成年的帝企鹅身高是鸵鸟的 $\frac{12}{25}$ 。成年帝企鹅的身高是多少米？

4. 蜂蜜最主要的成分是果糖和葡萄糖，果糖和葡萄糖的质量占蜂蜜总质量的 $\frac{3}{5}$ 以上。有一种蜂蜜，果糖和葡萄糖的质量占蜂蜜总质量的 $\frac{4}{5}$ 。如果有 2.5 kg 的这种蜂蜜，其中的果糖和葡萄糖共有多少千克？

5. 下面各题算得对吗？把不对的改正过来。

$5-3\times\frac{7}{9}=2\times\frac{7}{9}=\frac{14}{9}$　　$\frac{4}{11}+\frac{2}{11}\times\frac{11}{6}=\frac{6}{11}\times\frac{11}{6}=1$

6. 计算下面各题。

$\frac{1}{3}\times\frac{3}{5}+1$　　$\frac{5}{7}-\frac{5}{9}\times\frac{5}{7}$　　$1-\frac{5}{7}\times\frac{21}{25}$

$\frac{1}{2}+\frac{5}{4}\times\frac{4}{5}$　　$\frac{1}{6}\times\left(5-\frac{2}{3}\right)$　　$\frac{7}{8}\times7+\frac{3}{8}$

7. 计算下面两个图形的面积。

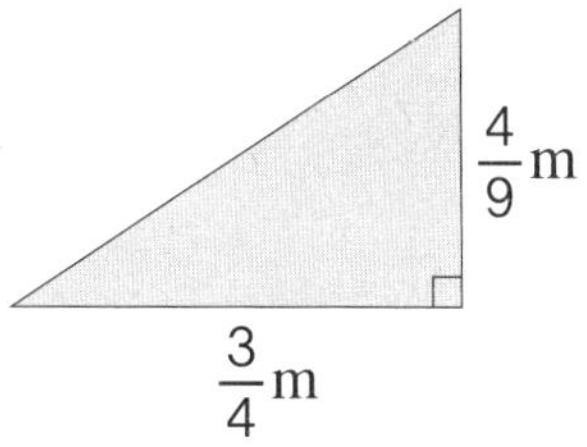

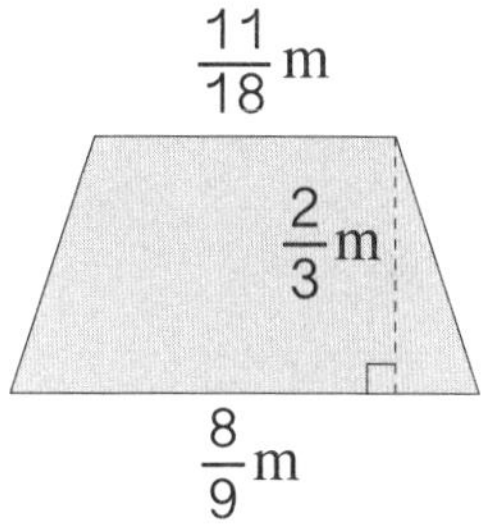

8. 剪一朵花要用 $\frac{1}{4}$ 张纸。

他们一共用了多少张纸？

9. 一个长方形桌面，长 $\frac{5}{4}$ m，宽 $\frac{3}{5}$ m。一个正方形桌面，面积是 $\frac{9}{10}$ m^2。长方形桌面的面积比正方形桌面的面积少多少平方米？

10. $\frac{8}{7}\times25\times\frac{7}{8}=25\times\square\times\square=$

$\left(14+\frac{7}{2}\right)\times\frac{1}{14}=\square\times\square+\square\times\square=$

$\frac{1}{12}\times\frac{2}{3}+\frac{1}{12}\times\frac{1}{3}=\square\times(\square+\square)=$

11. 用简便算法计算下面各题。

$\frac{2}{9}-\frac{7}{16}\times\frac{2}{9}$　　$\frac{2}{5}\times4\times\frac{3}{4}$　　$\frac{5}{7}\times16\times\frac{21}{5}$

$\frac{1}{2}\times\frac{1}{15}+\frac{1}{3}\times\frac{1}{2}$　　$\frac{4}{5}\times\frac{7}{9}\times\frac{5}{8}$　　$\frac{5}{6}\times\frac{5}{9}+\frac{5}{9}\times\frac{1}{6}$

12. 计算下面各题，能用简便算法的就用简便算法。

$\frac{11}{24}\times16$　　$\frac{1}{4}\times\frac{2}{7}$　　$\frac{7}{12}\times6+\frac{5}{12}\times6$

$\frac{3}{5}\times\frac{5}{6}$　　$\frac{5}{13}\times\frac{4}{7}\times14$　　$\frac{4}{9}\times5\times18$

13.

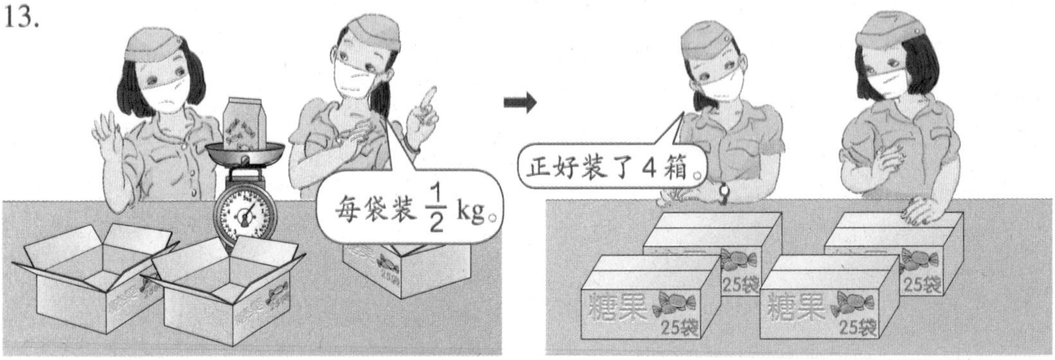

这些糖果一共有多少千克？

14. 一个垃圾处理场平均每天收到 70 t 生活垃圾，其中可回收利用的垃圾占 $\frac{1}{3}$。

15. 尼罗河全长 6670 km，长江比尼罗河的 $\frac{9}{10}$ 还长 297 km。长江全长多少千米？

16.* 下面的 $\square$ 里可以填的最大整数是多少？

（1）$\frac{5}{12}\times\frac{3}{4}<\frac{5}{\square}$　　（2）$\frac{\square}{6}\times\frac{4}{5}<\frac{5}{6}$　　（3）$\frac{5}{7}\times\frac{\square}{4}<1$

17.* 有两筐苹果，第一筐重 30 kg，如果从第一筐中取出 $\frac{1}{2}$ kg 放入第二筐，则两筐苹果同样重。两筐苹果一共重多少千克？（用不同方法解答。）

8

红萝卜地有多少平方米？

阅读与理解

整个大棚的面积是________。

萝卜地的面积占整个大棚面积的________。

红萝卜地的面积占萝卜地面积的________。

要求的是________的面积。

分析与解答

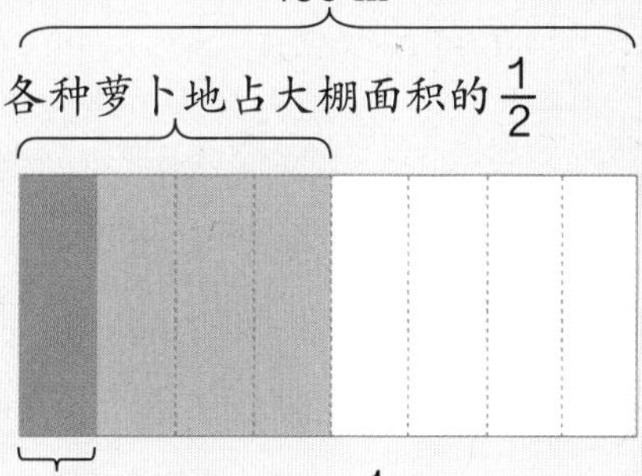

$480\times\frac{1}{2}=240(m^2)$

$240\times\frac{1}{4}=60(m^2)$

$\frac{1}{2}\times\frac{1}{4}=\frac{1}{8}$

$480\times\frac{1}{8}=60(m^2)$

列成综合算式：$480\times\frac{1}{2}\times\frac{1}{4}=60(m^2)$

回顾与反思

用你自己喜欢的方法检验一下上面答案的合理性。

答：红萝卜地有 60 m^2。

做一做

咱们班 36 人，$\frac{1}{3}$ 的同学长大后想成为老师。

想成为科学家的人数是想当老师人数的 $\frac{3}{4}$。

这个班有多少名同学想成为科学家？

9 人心脏跳动的次数随年龄而变化。青少年心跳每分钟约 75 次，婴儿每分钟心跳的次数比青少年多 $\frac{4}{5}$。婴儿每分钟心跳多少次？

阅读与理解

青少年每分钟心跳约______次。

婴儿每分钟心跳的次数比青少年多 $\frac{4}{5}$，多的部分是__________的 $\frac{4}{5}$。

要求的是______每分钟心跳的次数。

分析与解答

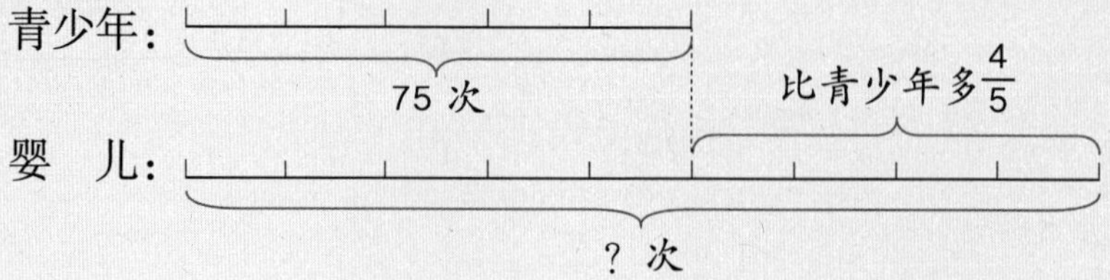

可以先求出婴儿每分钟比青少年多跳的次数……

$$75+75\times\frac{4}{5}$$
$$=75+60$$
$$=135（次）$$

也可以先求婴儿每分钟心跳次数是青少年的几分之几……

$$75\times\left(1+\frac{4}{5}\right)$$
$$=75\times\frac{9}{5}$$
$$=135（次）$$

回顾与反思

画线段图能清楚地表示数量关系。

我算算 135 次比 75 次多几分之几。

$(135-75)\div75$

=

=

答：婴儿每分钟心跳 135 次。

做一做

噪音对人的健康有害，绿化造林可降低噪音。

80 分贝*

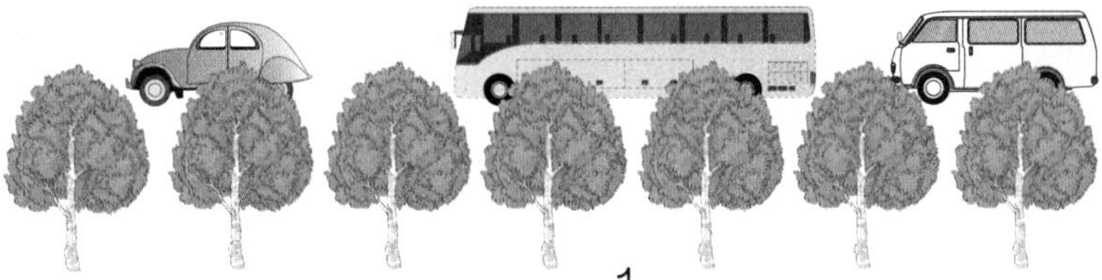

噪音降低 $\frac{1}{8}$

绿化带降低了噪音以后，人听到的声音是多少分贝？

◎ 你知道吗? ◎

《庄子·天下篇》中有一句话：“一尺之棰，日取其半，万世不竭。”意思就是：一根一尺（尺，中国古代长度单位）长的木棒，今天取它的一半，即 $\frac{1}{2}$，明天取它一半的一半，后天再取它一半的一半的一半……这样取下去，永远也取不完。这根木棒是一个长度有限的物体，但它却可以无限地分割下去。

第三天取的长度是多少尺?

* 分贝是计量声音强度的一种单位名称。

练习三

1. 人体血液在动脉中的流动速度是 50 厘米 / 秒，在静脉中的流动速度是动脉中的 $\frac{2}{5}$，在毛细血管中的流动速度只有静脉中的 $\frac{1}{40}$。血液在毛细血管中每秒流动多少厘米？

2. 海象的寿命大约是 40 年，海狮的寿命是海象的 $\frac{3}{4}$，海豹的寿命是海狮的 $\frac{2}{3}$。海豹的寿命大约是多少年？

3. 芍药的花期是 32 天，玫瑰的花期是芍药的 $\frac{5}{8}$，水仙的花期是玫瑰的 $\frac{3}{4}$。水仙的花期是多少天？

4. 昆虫飞行时经常振动翅膀。蜜蜂每秒能振动翅膀 236 次，蝗虫每秒振动次数比蜜蜂少 $\frac{109}{118}$。蝗虫每秒能振动多少次？

5. 鸡的孵化期是 21 天，鸭的孵化期比鸡长 $\frac{1}{3}$。鸭的孵化期是多少天？

6. 严重的水土流失致使每年大约有 16 亿吨的泥沙流入黄河，其中 $\frac{1}{4}$ 的泥沙沉积在河道中，其余被带到入海口。有多少亿吨泥沙被带到入海口？

7. 磁悬浮列车运行速度可达到 430 千米 / 时，普通列车比它慢 $\frac{36}{43}$。普通列车的速度是多少？

整理和复习

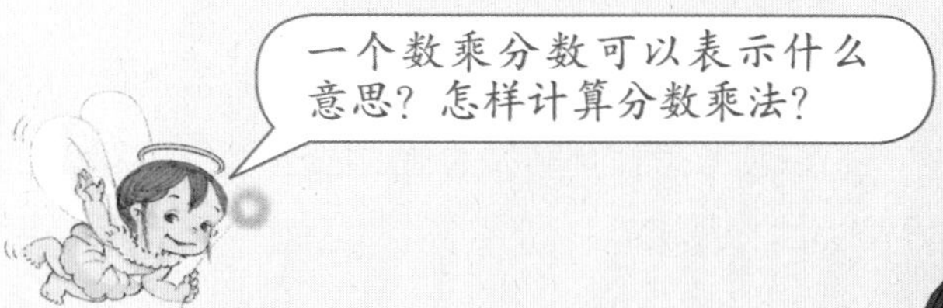

一个数乘分数可以表示什么意思？怎样计算分数乘法？

一个整数乘分数有时表示几个相同的分数相加，有时表示这个整数的几分之几。
一个数的几分之几都可用这个数乘上几分之几表示。

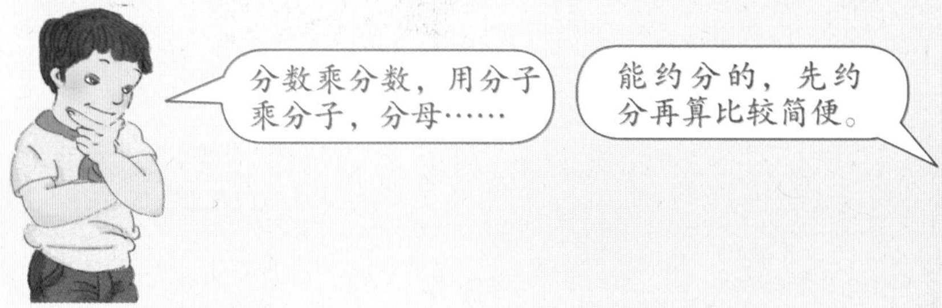

分数乘分数，用分子乘分子，分母……
能约分的，先约分再算比较简便。

1. 计算下面各题，说一说分数乘法是怎样计算的。

$\frac{8}{15}\times5$　　　　$2.4\times\frac{3}{8}$　　　　$\frac{7}{18}\times\frac{9}{14}$

2. 下面各题怎样计算比较简便？

$\frac{1}{3}\times\frac{5}{16}\times\frac{3}{5}$　　　　$\left(\frac{1}{5}+\frac{2}{3}\right)\times15$

$\frac{4}{7}\times\frac{5}{9}+\frac{3}{7}\times\frac{5}{9}$

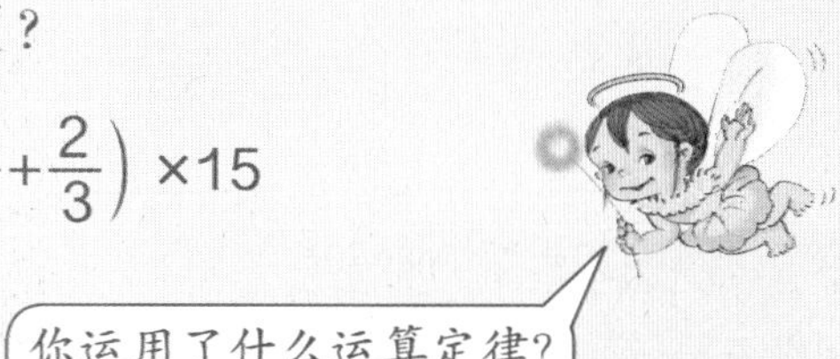

你运用了什么运算定律？

3. 广州平均年日照 1608 小时，北京平均年日照时间比广州多$\frac{1}{2}$。北京平均年日照时间大约多少小时？

上面的题你是怎样解答的？说一说你的思路。

① 一个数(0除外)乘小于1的分数，积比原来数小。

② 一个数乘1还得原数；

③ 一个数(0除外)乘大于1的分数，积比原来数大。

1. 比较每组题结果的大小，你发现了什么？

（1）$\frac{7}{8}\times\frac{5}{14}$　　$\frac{7}{8}\times1$　　$\frac{7}{8}\times\frac{4}{3}$

（2）$\frac{7}{10}\times\frac{5}{3}$　　$1\times\frac{5}{3}$　　$\frac{6}{5}\times\frac{5}{3}$

2. 计算下面各题。

$\frac{4}{17}\times5$　　$\frac{25}{39}\times\frac{13}{30}$　　$\frac{7}{9}\times\frac{2}{3}-\frac{2}{9}$

$\frac{5}{16}\times\frac{8}{15}$　　$\frac{6}{11}\times\frac{7}{15}\times10$　　$\frac{19}{100}\times\frac{3}{8}\times50$

3. 用简便算法计算下面各题。

$\frac{5}{18}\times4\times\frac{9}{10}$　　$\left(\frac{1}{4}+\frac{2}{9}\right)\times3.6$　　$19\times\frac{4}{9}$

4. （1）骆驼驼峰中贮藏的脂肪，相当于体重的 $\frac{1}{5}$ 。一头体重 225 kg 的骆驼，驼峰里含多少脂肪？

（2）一头体重 225 kg 的骆驼，驮着比它体重还多 $\frac{1}{5}$ 的货物。它驮着的货物重多少千克？

5. 校园里有杨树 20 棵，柳树是杨树的 $\frac{9}{10}$，槐树是柳树的 $\frac{2}{3}$。槐树有多少棵？

本单元结束了，
你有什么收获？

成长小档案

其实，分数乘法的意义是整数乘法意义的扩展。
我会计算分数乘法并用它来解决实际问题了。

2 位置与方向（二）

1

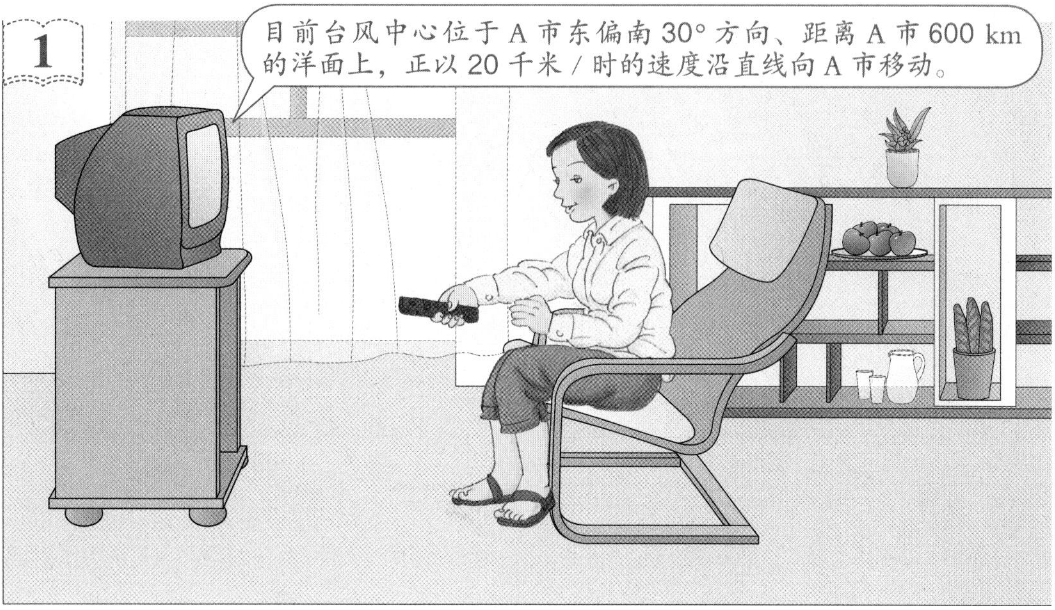
目前台风中心位于 A 市东偏南 30° 方向、距离 A 市 600 km 的洋面上，正以 20 千米 / 时的速度沿直线向 A 市移动。

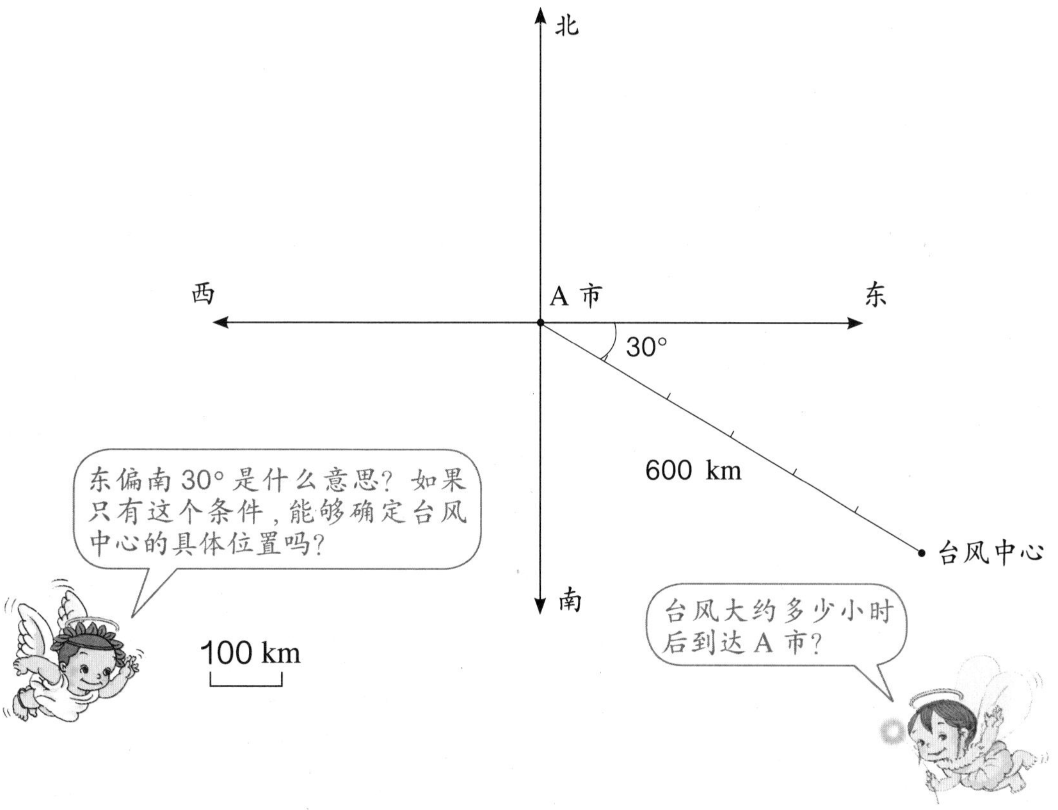
北
西
A 市
东
30°
600 km
台风中心
南
东偏南 30° 是什么意思？如果只有这个条件，能够确定台风中心的具体位置吗？
100 km
台风大约多少小时后到达 A 市？

做一做

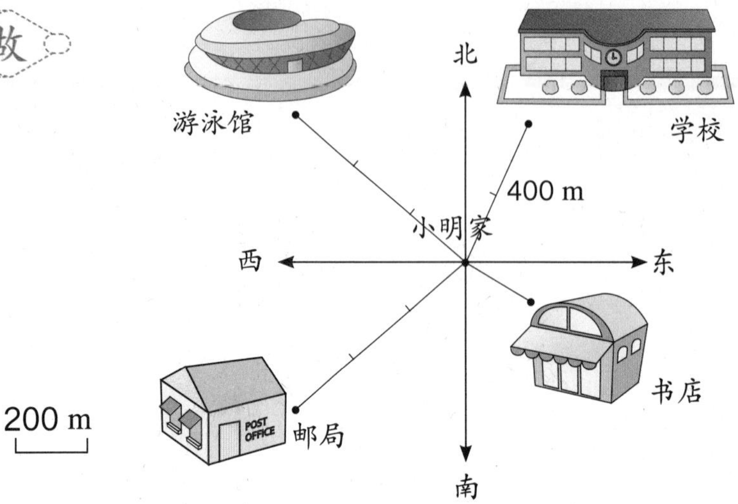

（1）学校在小明家北偏_____ _____方向上，距离是 _______ m。

（2）书店在小明家_____偏_____ _____方向上，距离是 ______ m。

（3）邮局在小明家_____偏_____ _____方向上，距离是 ______ m。

（4）游泳馆在小明家_____偏_____ _____方向上，距离是 ______ m。

2

B市位于A市北偏西30°方向、距离A市200 km。C市在A市正北方，距离A市300 km。请你在例1的图中标出B市、C市的位置。

怎样表示距离呢?
先确定方向。
1 cm 表示 100 km。

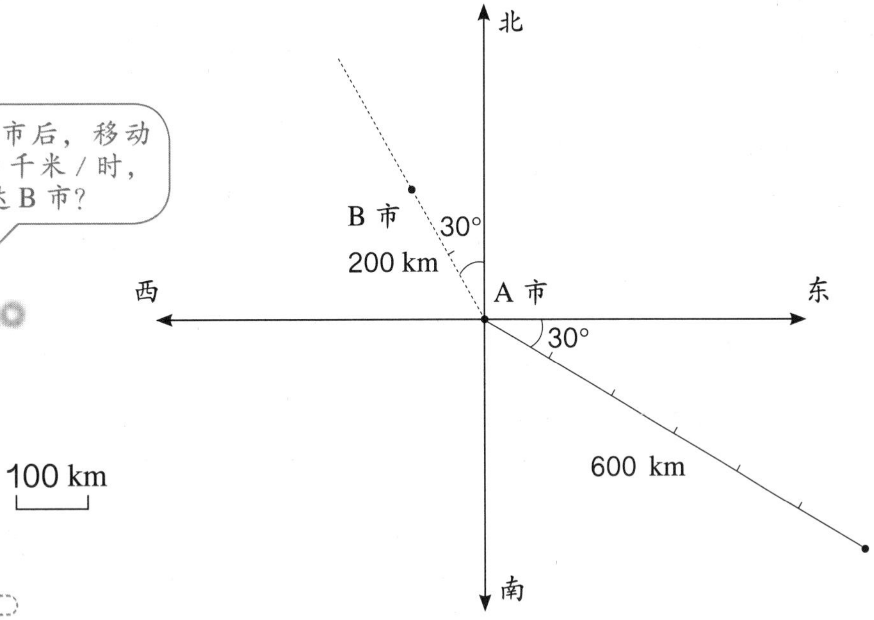

做一做

在平面图上标出校园内各建筑物的位置。

（1）教学楼在校门的正北方向 150 m处。

（2）图书馆在校门的北偏东 35° 方向 150 m 处。

（3）体育馆在校门的西偏北 40° 方向 200 m 处。

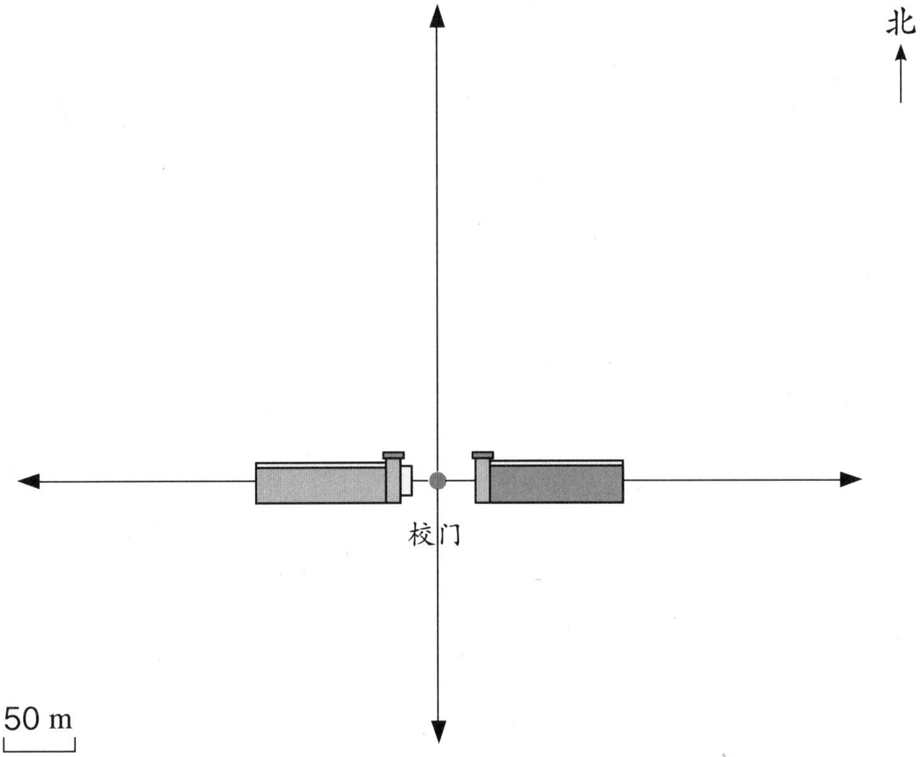

3 此次台风的大致路径如下图。你能用自己的语言说说台风的移动路线吗？

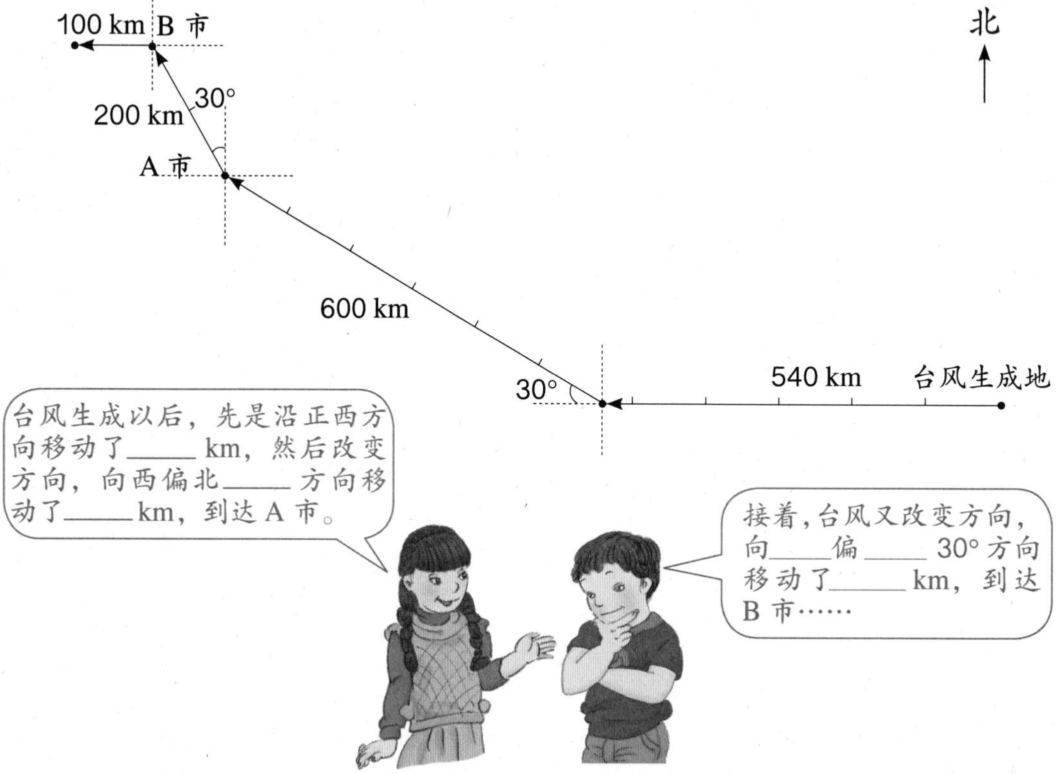

做一做

根据同伴的描述，画出路线示意图。

北
我向正南方向走 50 m 到路口，再向南偏西约 30° 走 100 m 到公园。
我先定下你出发时的位置。

练习五

1. 量一量，说一说沈阳、海口、昆明、乌鲁木齐和西安分别在北京的什么方向上。

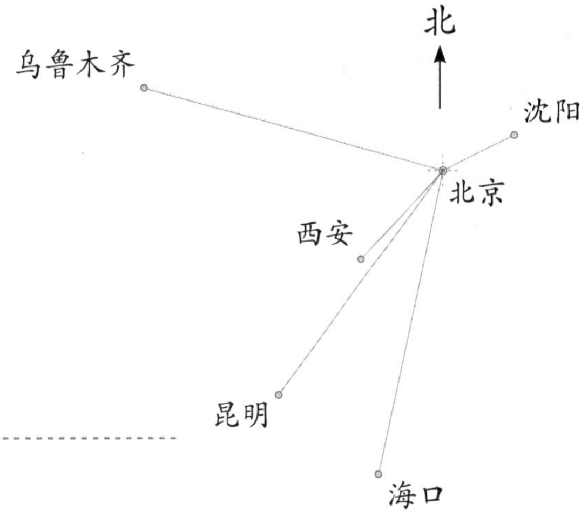

2. 填一填。

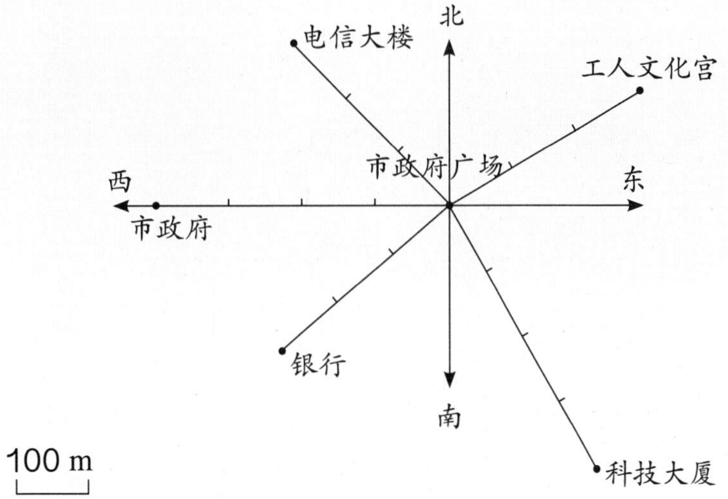

以市政府广场为观测点，

（1）市政府在 ____ 方向上，距离是 ____ m。

（2）电信大楼在____偏 ____ ____方向上，距离是____ m。

（3）工人文化宫在 ___ 偏____ ____ 方向上，距离是____ m。

（4）科技大厦在____偏 ____ ____方向上，距离是____m。

（5）银行在 ____偏 ____ ____ 方向上，距离是 ____m。

3. 找一幅中国地图，量一量，说一说北京在哈尔滨的____偏 ____ ____方向上，哈尔滨在北京的____偏____ ____ 方向上。

4.

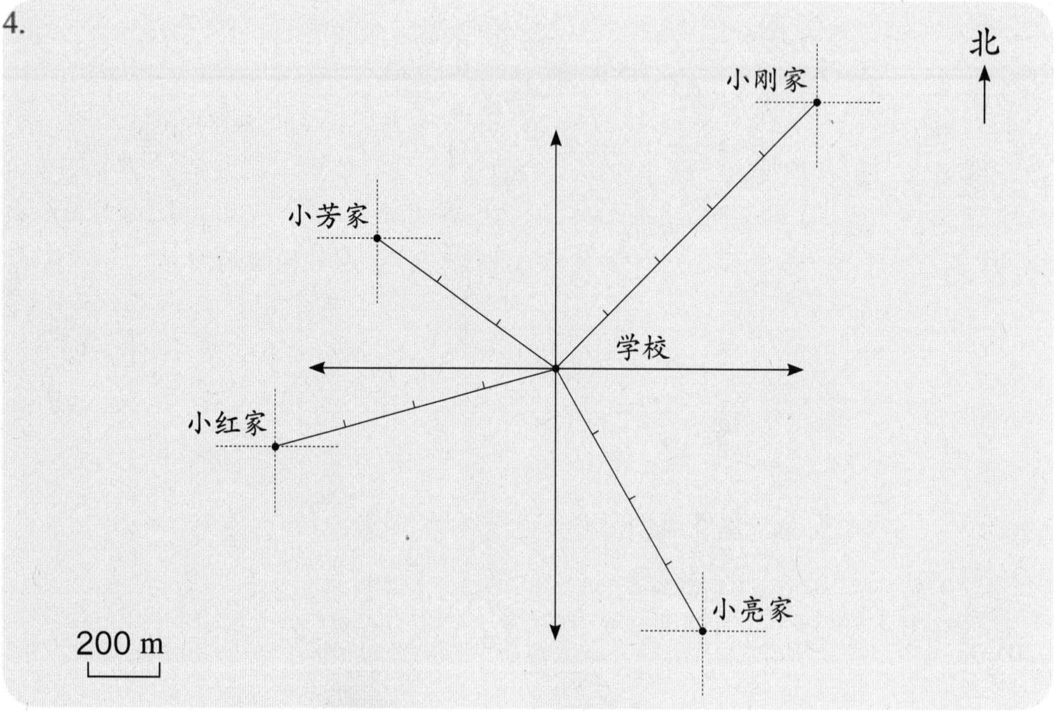

5. 石油勘探队在 A 城东偏北 40° 方向上，约 45 km 处打出一口油井。请你在平面图上确定油井的位置。

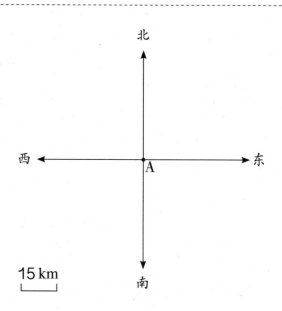

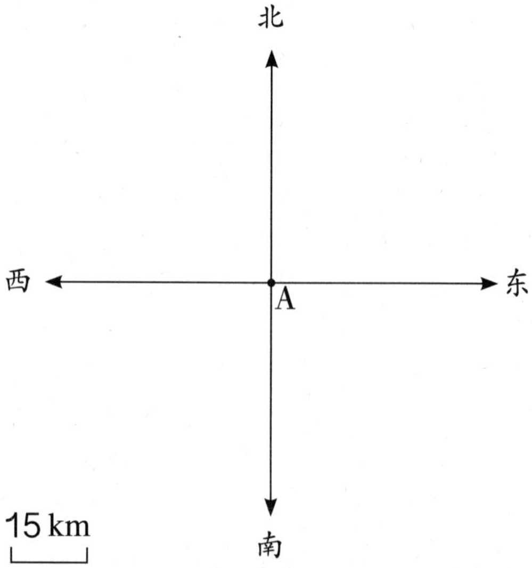

6.

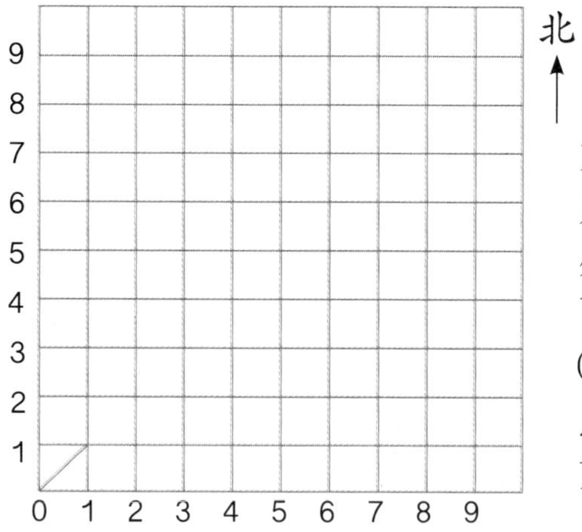

如果一个小正方形的对角线长 10 m，则点（0，0）东偏北 45° 方向 30 m 处是点（ ， ）；点（4，2）南偏西 45° 方向 20 m 处是点（ ， ）；点（6，7）北偏东 45° 方向 10 m 处是点（ ， ）；点（4，4）西偏北 45° 方向 40 m 处是点（ ， ）。

7. 根据下面的描述，在平面图上标出各场所的位置。

（1）文化广场在电视塔的北偏东 45° 方向 1 km 处。

（2）体育场在电视塔的西偏南 30° 方向 2500 m 处。

（3）博物馆在电视塔的西偏北 20° 方向 2 km 处。

（4）动物园在电视塔的东偏北 40° 方向 1500 m 处。

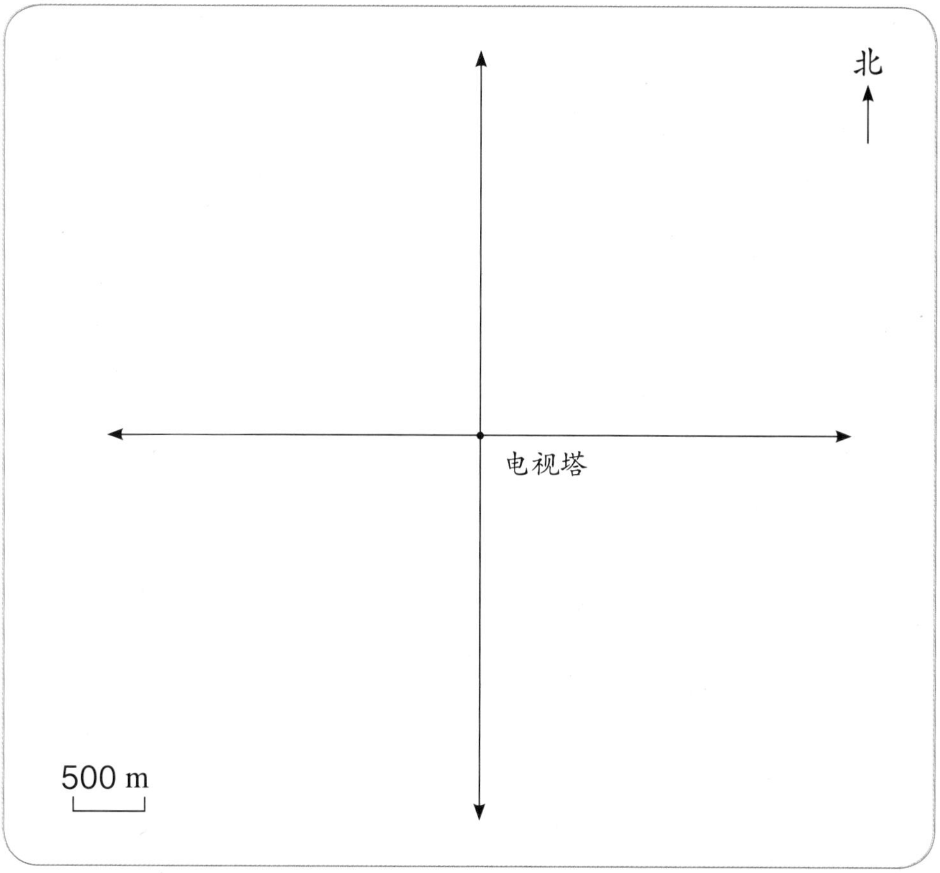

8.

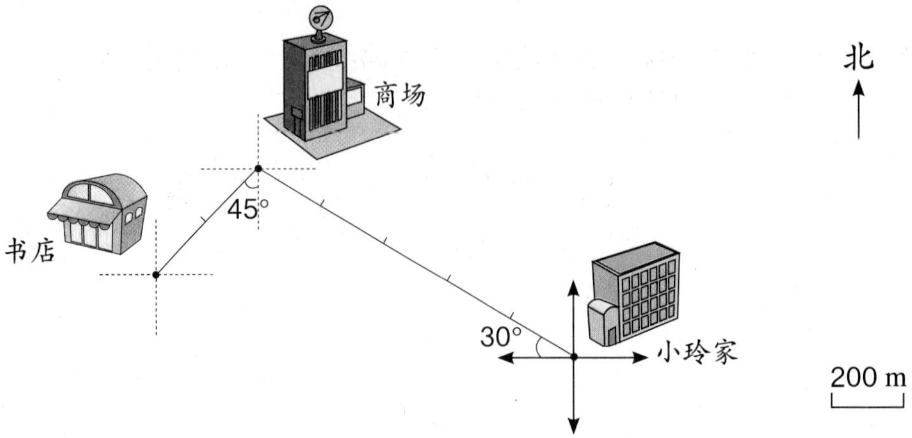

（1）根据上面的路线图，说一说小玲从家去书店和回来时所走的方向和路程，并完成下表。

	方向	路程	时间
家→商场			15 分
商场→书店			7 分
书店→商场			8 分
商场→家			18 分
全程			

（2）小玲走完全程的平均速度是多少？

9. “1 路公共汽车从起点站向西偏北 40° 行驶 3 km 后向西行驶 4 km，最后向南偏西 30° 行驶 3 km 到达终点站。”

（1）根据上面的描述，把公共汽车行驶的路线图画完整。

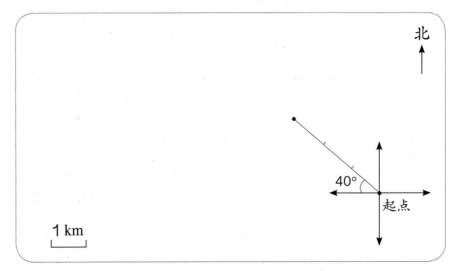

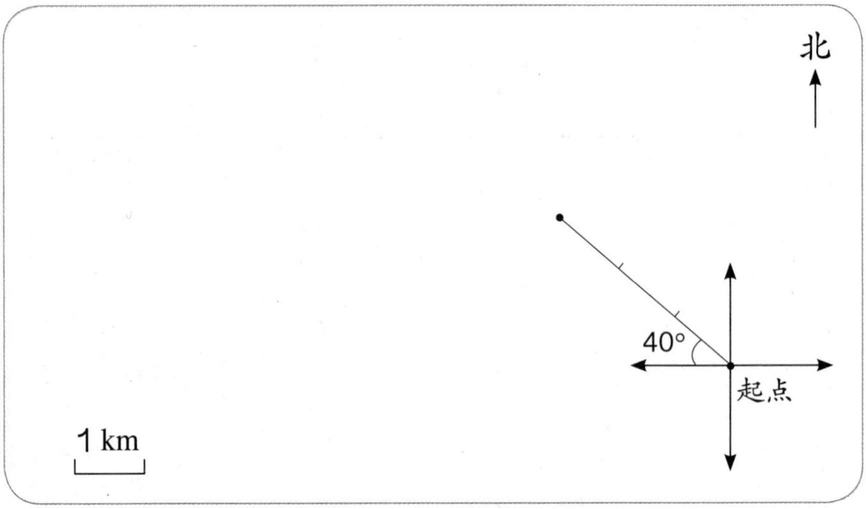

（2）根据路线图，说一说公共汽车沿原路返回时所行驶的方向和路程。

10. 同学之间互相说一说上学和放学的大致路线。也可以利用互联网，查出你家附近的地图，以便更准确地加以描述。

11. 用 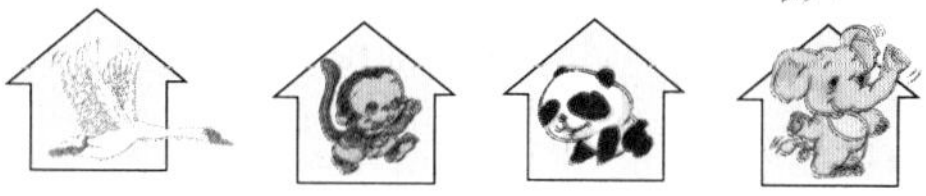 设计一个“小小动物园”。画出示意图，并描述各个馆的位置。再设计一条参观路线，并说一说怎么走。

动物园导游图

本单元结束了，你有什么收获？

在描述路线时，参照点是不断变动着的。
我们以前学的是用数对表示位置，现在学的是用方向和距离表示位置。

成长小档案

★★

3 分数除法

1. 倒数的认识

先计算，再观察，看看有什么规律。

$\frac{3}{8}\times\frac{8}{3}$　　$\frac{7}{15}\times\frac{15}{7}$　　$5\times\frac{1}{5}$　　$\frac{1}{12}\times12$

两个数的乘积都是1。
相乘的两个数的分子、分母正好颠倒了位置。

乘积是1的两个数互为**倒数**。$\frac{3}{8}$和$\frac{8}{3}$互为倒数，就是指：$\frac{3}{8}$的倒数是$\frac{8}{3}$，$\frac{8}{3}$的倒数是$\frac{3}{8}$。

想一想：互为倒数的两个数有什么特点？

1 下面哪两个数互为倒数？

$\frac{3}{5}$　　6　　$\frac{7}{2}$　　$\frac{5}{3}$　　$\frac{1}{6}$　　1　　$\frac{2}{7}$　　0

你是怎样找一个数的倒数的？

$\frac{3}{5}\xrightarrow{\text{分子、分母交换位置}}\frac{5}{3}$　　$\frac{3}{5}\times\frac{5}{3}=1$

$6=\frac{6}{1}\xrightarrow{\text{分子、分母交换位置}}\frac{1}{6}$　　$6\times\frac{1}{6}=1$

所以，$\frac{3}{5}$的倒数是$\frac{5}{3}$，6的倒数是$\frac{1}{6}$。

1的倒数是多少？0有倒数吗？和同学交流一下你的想法。

做一做

写出下面各数的倒数。

$\frac{4}{11}$　　$\frac{16}{9}$　　35　　$\frac{7}{8}$　　$\frac{4}{15}$

练 习 六

1. 将互为倒数的两个数用线连起来。

$\frac{3}{13}$	$\frac{7}{6}$	$\frac{25}{26}$	$\frac{1}{100}$
8	$\frac{13}{3}$	100	$\frac{99}{59}$
$\frac{6}{7}$	$\frac{1}{8}$	$\frac{59}{99}$	$\frac{26}{25}$

2. 下面的说法对不对？为什么？

（1）$\frac{7}{12}$ 与 $\frac{12}{7}$ 的乘积为 1，所以 $\frac{7}{12}$ 和 $\frac{12}{7}$ 互为倒数。

（2）$\frac{1}{2}\times\frac{4}{3}\times\frac{3}{2}=1$，所以 $\frac{1}{2}$、$\frac{4}{3}$、$\frac{3}{2}$ 互为倒数。

（3）0 的倒数还是 0。

（4）一个数的倒数一定比这个数小。

3. 说出下面各数的倒数。

$\frac{1}{9}$　　$\frac{51}{62}$　　$\frac{8}{3}$　　5　　$\frac{12}{23}$　　102　　$\frac{16}{7}$

4. 先计算出每组算式的结果，再在◯里填上“>”“<”或“=”。

$1\div8=(\quad)$	$6\div2=(\quad)$	$9\div4=(\quad)$
$1\times\frac{1}{8}=(\quad)$	$6\times\frac{1}{2}=(\quad)$	$9\times\frac{1}{4}=(\quad)$
$1\div8$ ◯ $1\times\frac{1}{8}$	$6\div2$ ◯ $6\times\frac{1}{2}$	$9\div4$ ◯ $9\times\frac{1}{4}$

5. 小红和小亮谁说得对？

因为 $\frac{4}{3}\times0.75=1$，所以 $\frac{4}{3}$ 的倒数是 0.75。
分数的倒数不可能是一个小数。
小红
小亮

2. 分数除法

1 把一张纸的$\frac{4}{5}$平均分成 2 份，每份是这张纸的几分之几？自己试着折一折，算一算。

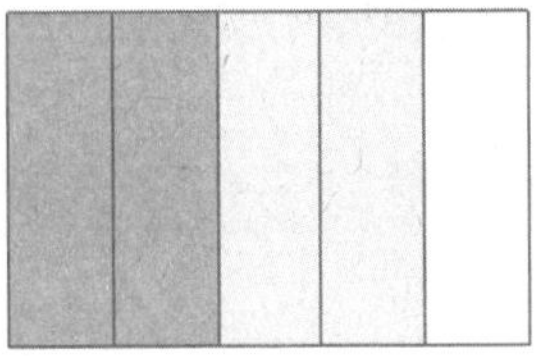

把$\frac{4}{5}$平均分成 2 份，就是把 4 个$\frac{1}{5}$平均分成 2 份，每份是 2 个$\frac{1}{5}$，就是$\frac{2}{5}$。

$$\frac{4}{5}\div 2=\frac{4\div 2}{5}=\frac{2}{5}$$

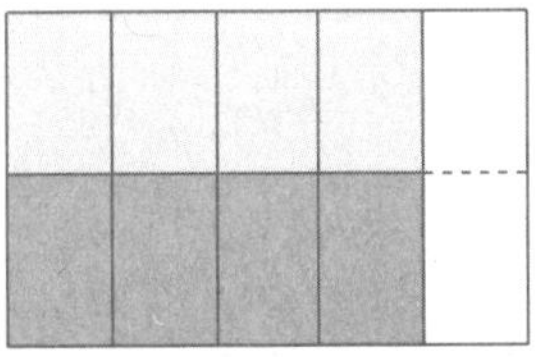

把$\frac{4}{5}$平均分成 2 份，每份就是$\frac{4}{5}$的$\frac{1}{2}$，也就是$\frac{4}{5}\times\frac{1}{2}$。

$$\frac{4}{5}\div 2=\frac{4}{5}\times\frac{1}{2}=\frac{4}{10}=\frac{2}{5}$$

如果把这张纸的$\frac{4}{5}$平均分成 3 份，每份是这张纸的几分之几？

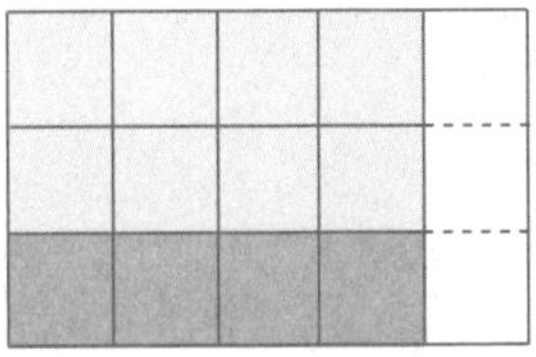

$$\frac{4}{5}\div 3=\underline{\quad\quad}\times\underline{\quad\quad}=\underline{\quad\quad}$$

根据上面的折纸实验和算式，你能发现什么规律？

做一做

计算下面各题。

$\frac{9}{10}\div 3=\frac{(\quad)}{(\quad)}\times\frac{(\quad)}{(\quad)}=\frac{(\quad)}{(\quad)}$　　　$\frac{3}{8}\div 2=\frac{(\quad)}{(\quad)}\bigcirc\frac{(\quad)}{(\quad)}=\frac{(\quad)}{(\quad)}$

2

小明 $\frac{2}{3}$ 小时走了 2 km，小红 $\frac{5}{12}$ 小时走了 $\frac{5}{6}$ km。谁走得快些？

小明平均每小时走：

$$2\div\frac{2}{3}$$

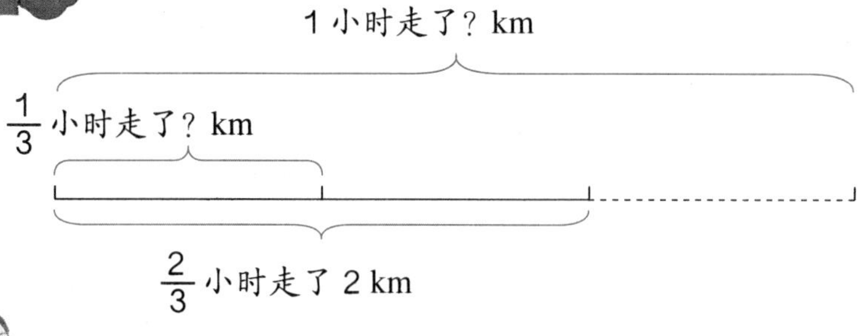

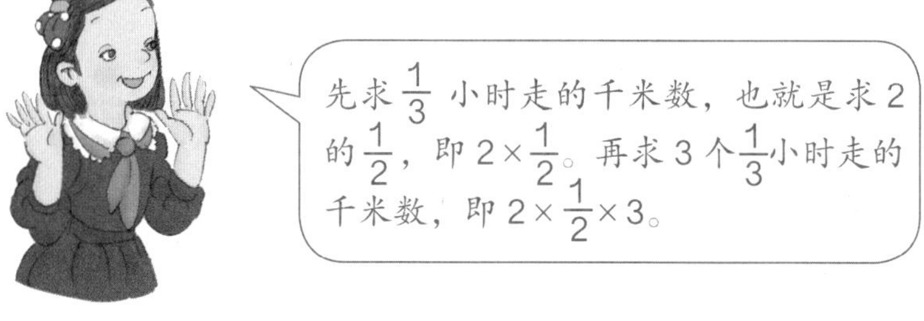

$$2\div\frac{2}{3}=2\times\frac{1}{2}\times3=\overset{1}{\cancel{2}}\times\frac{3}{\underset{1}{\cancel{2}}}=3\text{（km）}$$

小红平均每小时走：

$$\frac{5}{6}\div\frac{5}{12}=\frac{5}{6}\times\frac{12}{5}=2\text{（km）}$$

为什么写成“$\times\frac{12}{5}$”？

所以，小明走得快些。

通过上面的计算，你发现了什么？你会用自己的方式表示你发现的规律吗？

除以一个不等于0的数，等于乘这个数的倒数。

做一做

1. 计算下面各题。

$24\div\frac{8}{9}=24\bigcirc\frac{(\quad)}{(\quad)}=(\quad)$

$\frac{7}{16}\div\frac{4}{5}=\frac{(\quad)}{(\quad)}\bigcirc\frac{(\quad)}{(\quad)}=\frac{(\quad)}{(\quad)}$

2. 算一算。

$\frac{8}{9}\div4$　　$\frac{6}{13}\div4$　　$15\div\frac{10}{13}$　　$\frac{3}{10}\div\frac{14}{15}$

3. 不用计算，你知道下面哪几道题的商大于被除数，哪几道题的商小于被除数吗？

$\frac{6}{7}\div3$　　$\frac{15}{8}\div2$　　$9\div\frac{3}{4}$　　$6\div\frac{5}{4}$

$\frac{1}{2}\div\frac{2}{3}$　　$\frac{14}{9}\div\frac{7}{30}$　　$\frac{5}{7}\div\frac{5}{2}$　　$\frac{4}{5}\div\frac{4}{5}$

3

$\frac{1}{2}\times3=\frac{3}{2}$（片）

$12\div\frac{3}{2}=12\times\frac{2}{3}=8$（天）

$12\div\frac{1}{2}=12\times\frac{2}{1}=24$（次）

$24\div3=8$（天）

也可以用综合算式表示以上过程，
自己试着计算一下。

$12\div\left(\frac{1}{2}\times3\right)$

$=$

$12\div\frac{1}{2}\div3$

$=$

做一做

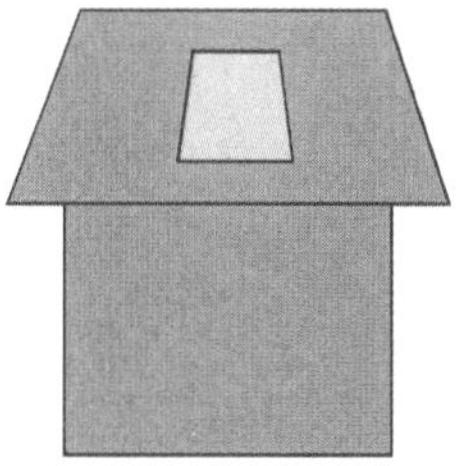

王叔叔家阁楼上的窗玻璃是梯形的，上底、下底和高分别是$\frac{3}{5}$ m、$\frac{4}{5}$ m、$\frac{3}{4}$ m。这块玻璃的面积是多少？

练 习 七

1. 根据乘法算式写出两道除法算式。

$\frac{3}{4}\times5=\frac{15}{4}$ ⟶ ( )÷( )=( )
( )÷( )=( )

$\frac{3}{7}\times\frac{2}{5}=\frac{6}{35}$ ⟶ ( )÷( )=( )
( )÷( )=( )

2. 先算出乘法算式的得数，再根据左右两题之间的关系，写出除法算式的得数。

$\frac{1}{7}\times5=$　　$\frac{5}{7}\div5=$

$\frac{5}{16}\times2=$　　$\frac{5}{8}\div2=$

$\frac{1}{15}\times7=$　　$\frac{7}{15}\div\frac{1}{15}=$

$\frac{2}{9}\times4=$　　$\frac{8}{9}\div\frac{2}{9}=$

3. 芳芳将 $\frac{4}{5}$ m 长的丝带剪成同样长的 8 段，每段丝带有多长？

4. 填一填。

$\frac{3}{5}$		
$\frac{6}{7}$	$\div3=$	
$\frac{9}{8}$		

$\frac{4}{5}$		
$\frac{5}{7}$	$\div3=$	
$\frac{8}{9}$		

5. 计算下面各题，看谁算得都对。

$\frac{1}{4}\div\frac{3}{5}$　　$\frac{4}{5}\div\frac{8}{15}$　　$\frac{1}{3}\div\frac{3}{4}$　　$\frac{5}{14}\div\frac{10}{21}$

$\frac{2}{3}\div\frac{14}{15}$　　$\frac{2}{7}\div\frac{16}{35}$　　$\frac{8}{27}\div\frac{2}{9}$　　$\frac{4}{15}\div\frac{28}{45}$

6. 把 $\frac{3}{4}$ L 橙汁分装在容量是 $\frac{1}{4}$ L 的小瓶里，可以装几瓶？

7. 某饮料厂使用一种自动检测仪来检测饮料瓶是否有缺陷，检测一个瓶子所用的时间为 $\frac{1}{25}$ 秒。1 分钟可以检测多少个瓶子？

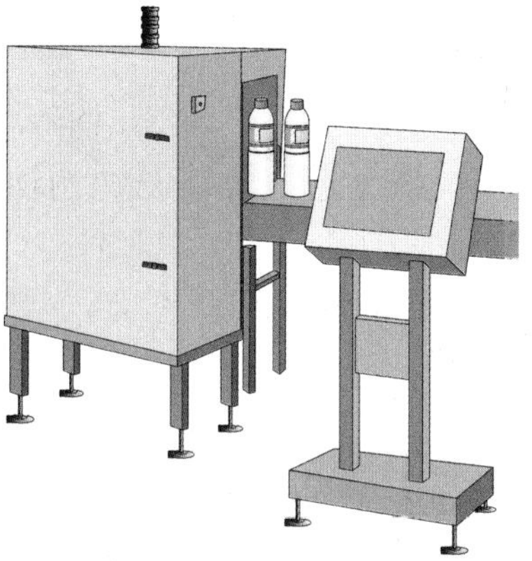

8. 我们平时看到的电影画面实际上是由许多连续拍摄的照片以每张 $\frac{1}{24}$ 秒的速度连续播放的。请你算一算：半秒可以播放多少张照片？ 1分钟呢？

9. 计算下面各题。

$\frac{3}{5}\times\frac{1}{6}\times\frac{5}{7}$　　　　$\frac{8}{9}\div\frac{4}{7}\div\frac{1}{3}$　　　　$\frac{5}{14}\div\frac{4}{21}\times\frac{16}{25}$

$2-\frac{6}{13}\div\frac{9}{26}-\frac{2}{3}$　　　　$\left(\frac{3}{4}-\frac{3}{16}\right)\times\left(\frac{2}{9}+\frac{1}{3}\right)$

10.

我每天慢跑6圈，现在已经跑了半圈，大约用了2分钟。

照这个速度，老爷爷每天慢跑要用多少时间？

11. 小萍家的地板离地有多高？

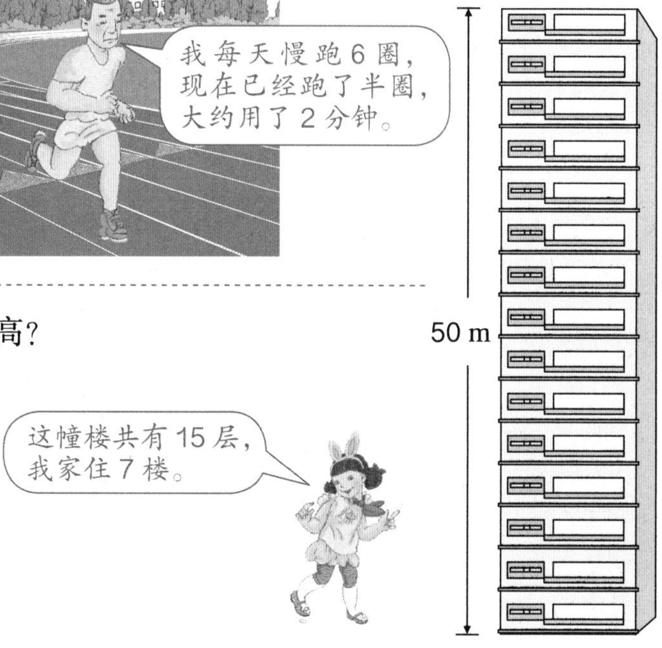

50 m
这幢楼共有15层，我家住7楼。

12.

才装完了总量的$\frac{3}{4}$。
一共有 240 kg 水果糖，每袋装$\frac{1}{4}$ kg。

她们已经装完了多少袋？

13. 计算下面各题。

$\frac{15}{22}\div10$　　$45\div\frac{9}{14}$　　$\frac{3}{5}\div\frac{1}{6}$　　$\frac{2}{7}\div\frac{8}{21}$

$\frac{2}{9}\times\frac{3}{8}\div\frac{6}{7}$　　$4\div\frac{8}{3}-\frac{3}{5}$　　$\frac{3}{4}\times\frac{5}{6}+\frac{3}{4}\times\frac{1}{6}$

14. 解下列方程。

$5x=\frac{15}{19}$　　$\frac{8}{21}x=\frac{4}{15}$　　$x\div\frac{4}{5}=\frac{15}{28}$　　$\frac{2}{3}x\div\frac{1}{4}=12$

15. 一盏节能灯 1 小时耗电 $\frac{3}{250}$ 千瓦时，某个传达室除了这盏节能灯外，没有别的电器。这个传达室上个月的用电量是 $\frac{6}{5}$ 千瓦时，这盏灯上个月共使用多少小时？

16. 某种手机的自动化生产线在手机机板上插入每个零件的时间仅为 $\frac{9}{100}$ 秒。3 分钟可以插入多少个零件？

17.* 按下面的步骤计算，再把最后的得数与开始的数比较，你能发现什么？你知道为什么吗？

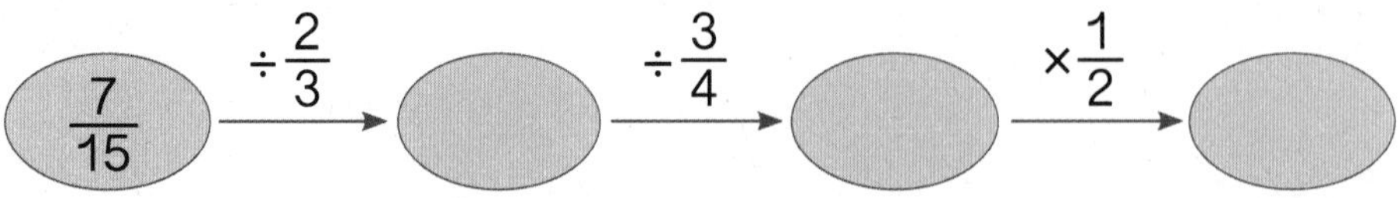
$\frac{7}{15}$
$\div\frac{2}{3}$
$\div\frac{3}{4}$
$\times\frac{1}{2}$

4

根据测定，成人体内的水分约占体重的$\frac{2}{3}$，儿童体内的水分约占体重的$\frac{4}{5}$。

我算了一下，我体内有 28 kg 水分。
小明

小明重多少千克？

阅读与理解

小明体内的水分重____________。

小明体内的水分占体重的____________。

要求的是小明的____________。

分析与解答

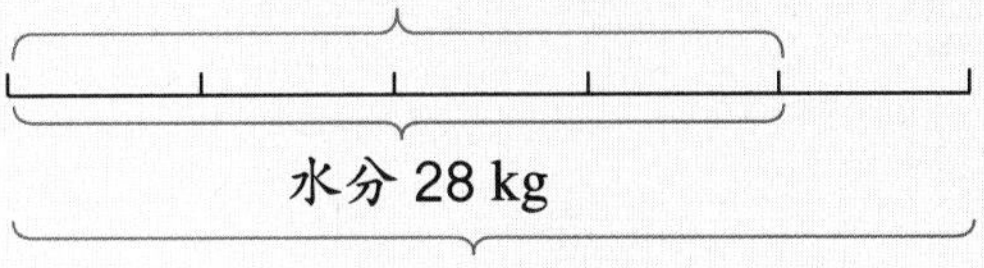
水分占体重的$\frac{4}{5}$
水分 28 kg
体重？ kg

根据“儿童体内的水分占体重的$\frac{4}{5}$”可以列出下面的关系式。

小明的体重 $\times\frac{4}{5}=$ 小明体内水分的质量

解： 设小明的体重是 x kg。

$$\frac{4}{5}x=28$$
$$x=28\div\frac{4}{5}$$
$$x=28\times\frac{5}{4}$$
$$x=35$$

回顾与反思

$35\times\frac{4}{5}=$____________（kg）

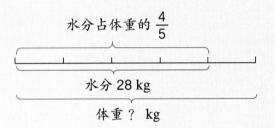

看结果是不是题目中小明体内水分的质量。

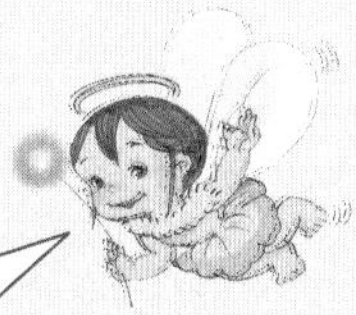
成人的信息与问题有关系吗？

答：小明的体重是 35 kg。

5 小明的体重是 35 kg，他的体重比爸爸的体重轻 $\frac{8}{15}$，小明爸爸的体重是多少千克？

阅读与理解

小明的体重是 __________。

小明的体重比爸爸轻__________。

要求的是__________的体重。

分析与解答

小明的体重比爸爸轻$\frac{8}{15}$，小明的体重是爸爸的几分之几呢？该怎么画线段图？

如果把爸爸的体重平均分成 15 份，小明的体重相当于其中的（15−8）份，也就是说，小明的体重相当于爸爸的$\frac{7}{15}$。

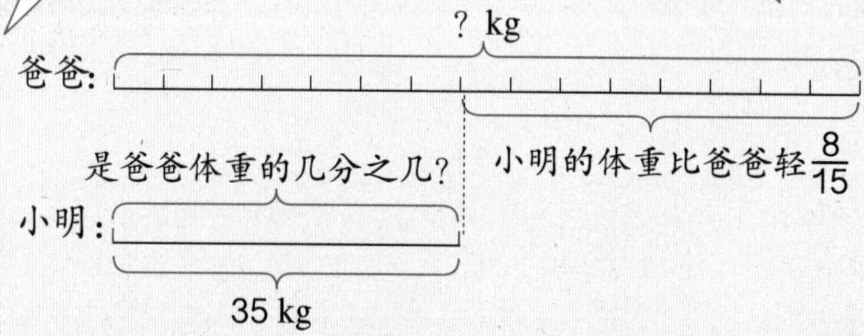

解： 设小明爸爸的体重是 x kg。

爸爸的体重 × $(1-\frac{8}{15})$ = 小明的体重

$$\left(1-\frac{8}{15}\right)x=35$$
$$\frac{7}{15}x=35$$
$$x=35\times\frac{15}{7}$$
$$x=75$$

爸爸的体重 − 小明比爸爸轻的部分 = 小明的体重

$$x-\frac{8}{15}x=35$$
$$\frac{7}{15}x=35$$
$$x=35\times\frac{15}{7}$$
$$x=75$$

回顾与反思

看看小明的体重是否比爸爸轻$\frac{8}{15}$。

（75 − 35）÷75= __________

答：小明爸爸的体重是 75 kg。

练习八

1. 我国幅员辽阔，东西相距 5200 km，东西距离是南北的 $\frac{52}{55}$。南北相距多少千米？

2. 一杯 250 mL 的鲜牛奶大约含有 $\frac{3}{10}$ g 的钙质，占一个成年人一天所需钙质的 $\frac{3}{8}$。一个成年人一天大约需要多少钙质？

3. 人造地球卫星的速度大约是 8 千米 / 秒，相当于宇宙飞船速度的 $\frac{40}{57}$。宇宙飞船的速度大约是多少？

4.

图书馆有科普读物 320 本，占全部图书的 $\frac{2}{5}$。
科普读物相当于故事书的 $\frac{4}{3}$。

（1）图书馆共有多少本书？

（2）图书馆有多少本故事书？

5. 计算下面各题。

$\frac{3}{8}\div 6$　　$\frac{9}{14}\div 3$　　$3\div\frac{1}{5}$　　$18\div\frac{12}{13}$

$\frac{10}{21}\div\frac{5}{7}$　　$\frac{15}{16}\div\frac{5}{8}$　　$26\div\frac{13}{25}\div\frac{15}{22}$

$16\div\left(1+\frac{1}{3}\right)$　　$35\div\left(1-\frac{2}{7}\right)$　　$\frac{21}{40}\div\left(\frac{1}{10}+\frac{3}{5}\right)$

6.

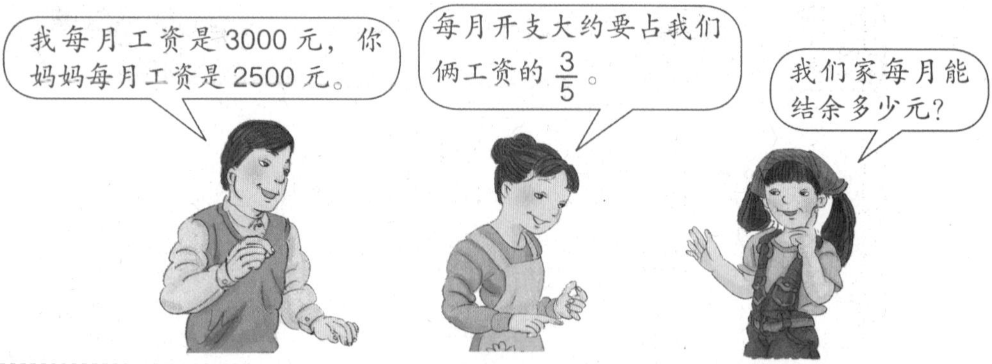
我每月工资是3000元，你妈妈每月工资是2500元。
每月开支大约要占我们俩工资的$\frac{3}{5}$。
我们家每月能结余多少元？

7.

这本课外读物我读了35页，还剩下$\frac{2}{7}$没有读。

这本课外读物一共有多少页？

8. 在通常情况下，体积相等的冰的质量比水的质量少$\frac{1}{10}$。现有一块重9 kg的冰，如果有一桶水的体积和这块冰的体积相等，这桶水有多重？

9.

这批大米是运往灾区的。
运了4车才运走$\frac{2}{7}$。
万众一心

平均每车运走这批大米的几分之几？剩下的大米还要几车才能运完？

10. 有一组互相咬合的齿轮。

（1）大齿轮有140个齿，小齿轮的齿数是大齿轮的$\frac{1}{5}$。小齿轮有多少个齿？

（2）小齿轮有28个齿，是大齿轮的$\frac{1}{5}$。大齿轮有多少个齿？

（3）小齿轮每分钟转400周，大齿轮每分钟转的周数比小齿轮少$\frac{4}{5}$。大齿轮每分钟转多少周？

（4）大齿轮每分钟转80周，比小齿轮每分钟转的周数少$\frac{4}{5}$。小齿轮每分钟转多少周？

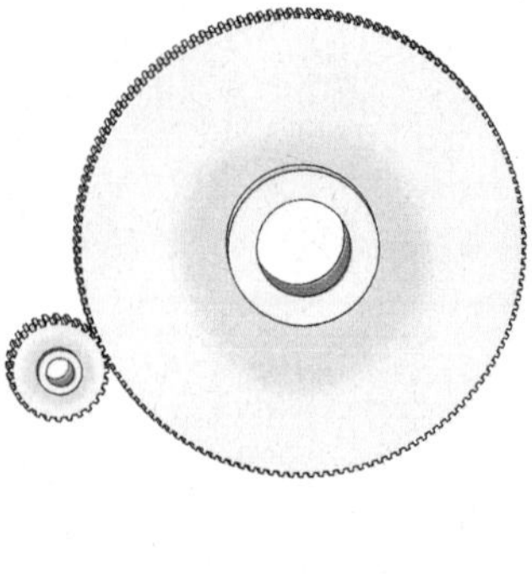

6

我们班全场得了42分。
下半场得分只有上半场的一半。
FLY-BOY
BOY

上半场和下半场各得多少分?

阅读与理解

知道了……

两个半场的得分都是未知的。

分析与解答

下半场得分是上半场的一半，也就是下半场得分 = 上半场得分 × $\frac{1}{2}$。

也可以想成上半场得分是下半场的 2 倍。

设上半场得 x 分。

$$x+\frac{1}{2}x=42$$
$$\left(1+\frac{1}{2}\right)x=42$$
$$\frac{3}{2}x=42$$
$$x=42\div\frac{3}{2}$$
$$x=42\times\frac{2}{3}$$
$$x=28$$
$$28\times\frac{1}{2}=14\text{（分）}$$

设下半场得 x 分。

$$2x+x=42$$
$$3x=42$$
$$x=42\div3$$
$$x=14$$
$$42-14=28\text{（分）}$$

回顾与反思

28+14=42，全场得分确实是 42 分。

$14\div28=\frac{1}{2}$，下半场得分确实是上半场的一半。

答：上半场得 28 分，下半场得 14 分。

7

这条道路，如果我们一队单独修，12 天能修完。
如果我们二队单独修，18 天才能修完。

如果两队合修，多少天能修完？

阅读与理解

知道了两个队单独修完需要的时间，要求的是……
可是这条道路有多长呢？

分析与解答

能不能假设知道这条路有多长呢？
我假设这条道路长 18 km。
我假设这条道路长 30 km。

一队每天修多少千米：________________________

二队每天修多少千米：________________________

两队合修，每天修多少千米：________________

两队合修，需要多少天：____________________

也可以假设这条道路的长度是1。

那两个队每天修的长度分别是$\frac{1}{12}$和$\frac{1}{18}$。

$1\div\left(\frac{1}{12}+\frac{1}{18}\right)$

$=$ __________

$=$ ______（天）

不同的方法计算出的结果一样吗？

回顾与反思

怎样才知道以上的解决方法是否正确？把你的想法写下来，和同学交流一下。

不管假设这条道路有多长，答案都是相同的。把道路长度假设成1，很简便。

答：如果两队合修，______天可以修完。

做一做

这批货物，只用我的车运，6次才能运完。

只用我的车运，3次就能运完。

如果两辆车一起运，多少次能运完这批货物？

练习九

1. 某电视机厂去年全年生产电视机 108 万台，其中上半年产量是下半年的$\frac{4}{5}$。这个电视机厂去年上半年和下半年的产量分别是多少万台？

2. 
这套运动服共 300 元。
裤子价钱是上衣的$\frac{2}{3}$。

上衣和裤子的价钱分别是多少？

3. 
航模小组和美术小组一共有 45 人。
美术小组的人数是航模小组的$\frac{4}{5}$。

航模小组和美术小组分别有多少人？

4. 武汉长江大桥全长 1670 m，其中引桥的长度是正桥的$\frac{257}{578}$。这座大桥的正桥和引桥的长度分别是多少米？

5. 中国农历中的“夏至”是一年中白昼最长、黑夜最短的一天。这一天，北京的黑夜时间是白天时间的 $\frac{3}{5}$。白昼和黑夜分别是多少小时？

6. 挖一条水渠，王伯伯每天挖整条水渠的 $\frac{1}{20}$，李叔叔每天挖整条水渠的 $\frac{1}{30}$。两人合作，几天能挖完？

7. 甲车从 A 城市到 B 城市要行驶 2 小时，乙车从 B 城市到 A 城市要行驶 3 小时。两车同时分别从 A 城市和 B 城市出发，几小时后相遇？

8. 某地遭遇暴雨，水库水位已经超过警戒线，急需泄洪。这个水库有两个泄洪口。只打开 A 口，8 小时可以完成任务，只打开 B 口，6 小时可以完成任务。如果两个泄洪口同时打开，几小时可以完成任务？

9.

现在两队合种，5 天能种完吗？

◎ 你知道吗？◎

你知道五线谱里的音符也可以用分数来表示吗？

常用的音符有全音符（𝅝）、二分音符（𝅗𝅥）、四分音符（♩）、八分音符（♪）和十六分音符（𝅘𝅥𝅯）。不同的音符表示不同的时值（即音的长短），二分音符、四分音符、八分音符和十六分音符表示的时值分别是全音符时值的 $\frac{1}{2}$、$\frac{1}{4}$、$\frac{1}{8}$ 和 $\frac{1}{16}$。

你知道一个全音符的时值里分别包含多少个二分音符、四分音符、八分音符和十六分音符的时值吗？

怎样计算分数除法？本单元的内容和分数乘法的内容有什么关系？
整数可以看成分母是1的分数，所以不管被除数、除数是整数还是分数，计算方法都是一样的。
除以一个数（0除外），就等于乘这个数的倒数。
在计算时，分数除法是转化成分数乘法来计算的。在解决本单元的实际问题时，有一部分也是利用分数乘法的数量关系来思考的。

1. 计算下面各题。

$\frac{15}{16}\div5$　　$\frac{12}{25}\div13$　　$13\div\frac{4}{5}$　　$13\div\frac{2}{17}$

$\frac{21}{40}\div\frac{7}{8}$　　$\frac{18}{35}\div\frac{3}{5}\times\frac{2}{3}$　　$\frac{4}{9}\times\frac{15}{16}\div\frac{5}{6}$

$\frac{7}{24}\div\frac{6}{49}$　　$\left(13-\frac{3}{5}\right)\div\frac{7}{15}$　　$\frac{35}{64}\div\left(\frac{1}{8}+\frac{3}{4}\right)$

2.（1）张大爷养了200只鹅，鹅的只数是鸭的$\frac{2}{5}$。养了多少只鸭？

（2）张大爷养了200只鹅，鹅的只数比鸭少$\frac{3}{5}$。养了多少只鸭？

（3）张大爷养的鹅和鸭共有700只，其中鹅的只数是鸭的$\frac{2}{5}$。鹅和鸭各有多少只？

练 习 十

1. 判断对错，对的画“ √ ”，错的画“×”。

（1）两个分数相除，商一定大于被除数。（　）

（2）如果 $a \div b=\frac{1}{3}$，b 就是 a 的 3 倍。（　）

（3）如果 $a \div b=\frac{3}{5}$，那么 $a=3$，$b=5$。（　）

2. 用你喜欢的方法计算下面各题。

$\frac{1}{5}\times 8\div\frac{4}{5}$　　$\frac{3}{5}+\frac{1}{2}\times\frac{4}{5}$　　$\frac{5}{6}\div\frac{2}{3}\div\frac{5}{6}$

$\left(\frac{5}{8}+\frac{5}{6}\right)\times\frac{4}{25}$　　$\left(\frac{5}{6}-\frac{2}{3}\right)\times\frac{9}{10}$　　$1-\frac{7}{9}\div\frac{7}{8}$

3. 冰融化成水后，水的体积是冰的体积的 $\frac{9}{10}$。现有一块冰，融化成水以后的体积是 27 dm^3，这块冰的体积是多少立方分米？

4. 狮子奔跑时的最高时速可以达到 60 千米 / 时，比猎豹慢 $\frac{5}{11}$。猎豹奔跑时的最高时速是多少？

5. 小明和爷爷一起去操场散步。小明走一圈需要 8 分钟，爷爷走一圈需要 10 分钟。

（1）如果两人同时同地出发，相背而行，多少分钟后相遇？

（2）*如果两人同时同地出发，同方向而行，多少分钟后小明超出爷爷一整圈？

本单元结束了，
你有什么收获？

成长小档案

★★★

我知道为什么要学倒数了，因为……
我会计算分数除法并用它来解决实际问题了。

4 比

2003 年 10 月 15 日，我国第一艘载人飞船“神舟”五号顺利升空。在太空中，执行此次任务的航天员杨利伟在飞船里向人们展示了联合国旗和中华人民共和国国旗。

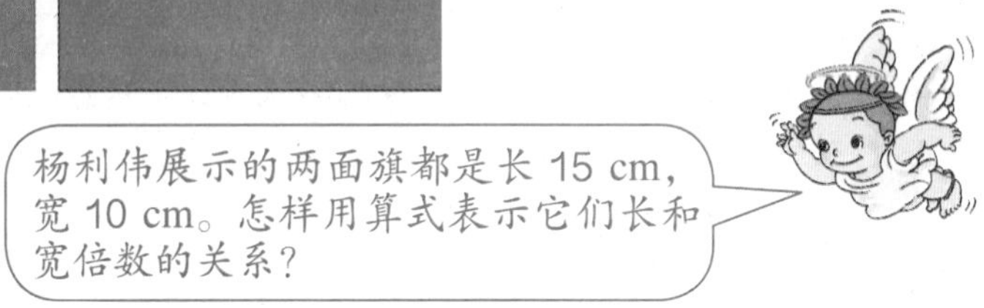

杨利伟展示的两面旗都是长 15 cm，宽 10 cm。怎样用算式表示它们长和宽倍数的关系？

可以用“15÷10”表示长是宽的多少倍。
也可以用“10÷15”表示宽是长的几分之几。

有时我们也把这两个数量之间的关系说成：

长和宽的比是 15 比 10，宽和长的比是 10 比 15。

“神舟”五号进入运行轨道后，在距地 350 km 的高空做圆周运动，平均 90 分钟绕地球一周，大约运行 42252 km。

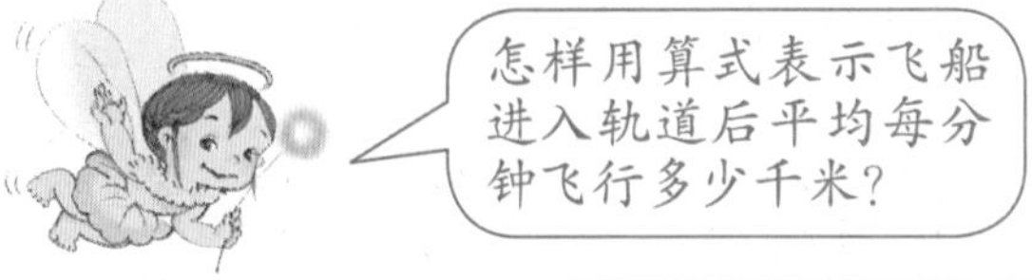

怎样用算式表示飞船进入轨道后平均每分钟飞行多少千米？

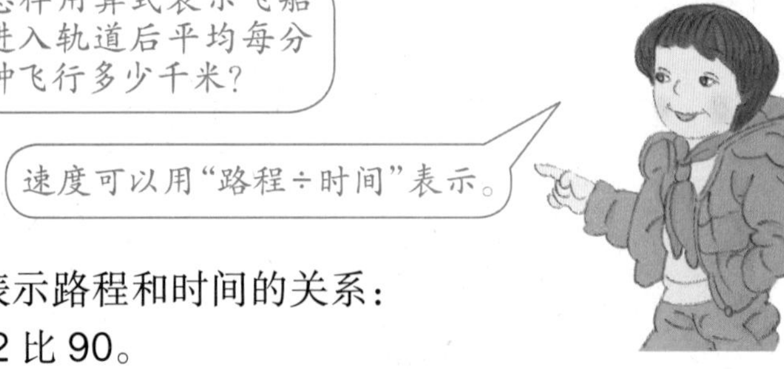

速度可以用“路程÷时间”表示。

我们也可以用比来表示路程和时间的关系：

路程和时间的比是 42252 比 90。

两个数的比表示两个数相除。

15 比 10 记作 15 : 10

10 比 15 记作 10 : 15

42252 比 90 记作 42252 : 90

“ : ”是比号。

在两个数的比中，比号前面的数叫做比的**前项**，比号后面的数叫做比的**后项**。比的前项除以后项所得的商，叫做**比值**。例如：

$$15 : 10 = 15 \div 10 = \frac{3}{2}$$

前项　比号　后项　比值

比值通常用分数表示，也可以用小数或整数表示。

根据分数与除法的关系，两个数的比也可以写成分数形式。例如：

15 : 10 也可以写成 $\frac{15}{10}$，仍读作“15 比 10”。

想一想：比的前项、后项和比值分别相当于除法算式和分数中的什么？比的后项可以是 0 吗？

做一做

1. 小敏和小亮在文具店买同样的练习本。小敏买了 6 本，共花了 1.8 元。小亮买了 8 本，共花了 2.4 元。小敏和小亮买的练习本数之比是(　　) : (　　)，比值是（　　）；花的钱数之比是（　　）:（　　），比值是（　　）。

2. 3 : (　　) =24　　　　(　　) : 8=0.5

3. 你还记得商不变的规律和分数的基本性质吗？

被除数和除数同时乘或除以相同的数……

分数的分子和分母同时乘或除以相同的数……

联系比和除法、分数的关系，想一想：在比中有什么样的规律？

$6:8=6\div8=\frac{6}{8}=\frac{3}{4}$　　　　$12:16=12\div16=\frac{12}{16}=\frac{3}{4}$

我们先利用比和除法的关系来研究。

$6\div8=(6\times2)\div(8\times2)=12\div16$

↓　　↓　　↓

$6:8=(6\times2):(8\times2)=12:16$

$6:8=(6\div2):(8\div2)=3:4$

↑　　↑　　↑

$6\div8=(6\div2)\div(8\div2)=3\div4$

你能根据比和分数的关系研究比中的规律吗？

比的前项和后项同时乘或除以相同的数（0 除外），比值不变。

这叫做**比的基本性质**。

根据比的基本性质，可以把比化成最简单的整数比。

1 （1）“神舟”五号搭载了两面联合国旗，一面长 15 cm，宽 10 cm（前面展示过），另一面长 180 cm，宽 120 cm（见右图）。

这两面联合国旗长和宽的最简单的整数比分别是多少？

$15:10=(15\div5):(10\div5)$

$=3:2$

想：5 是 15 和 10 的什么数？为什么要除以 5？

$180:120=(180\div\ \ ):(120\div\ \ )$

$=(\quad):(\quad)$

（2）把下面各比化成最简单的整数比。

$\frac{1}{6}:\frac{2}{9}$　　　　　　0.75 : 2

$\frac{1}{6}:\frac{2}{9}=\left(\frac{1}{6}\times18\right):\left(\frac{2}{9}\times18\right)$　　　　想：为什么要乘 18？

$=(\qquad):(\qquad)$

0.75 : 2=(0.75×100) : (2×100)

=75 : 200

$=(\qquad):(\qquad)$

当一个比的前项或后项不是整数时，怎样把它化成最简单的整数比？

做一做

把下面各比化成最简单的整数比。

32 : 16	48 : 40	0.15 : 0.3
$\frac{5}{6}:\frac{1}{6}$	$\frac{7}{12}:\frac{3}{8}$	$0.125:\frac{5}{8}$

◎ 你知道吗? ◎

黄金比

你听说过“黄金比”吗?

把一条线段分成两部分，如果较短部分与较长部分长度之比等于较长部分与整体长度之比，我们把这个比称为黄金比（约为0.618 : 1）。当一个物体的两个部分长度的比大致符合黄金比时，常常会给人以一种优美的视觉感受，所以，设计许多物品时都含有黄金比这一因素。

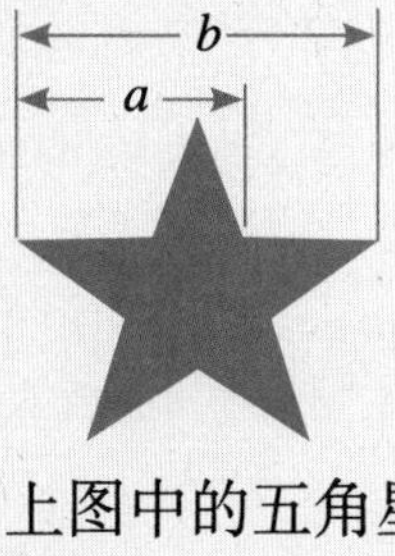

$a:b\approx0.618:1$

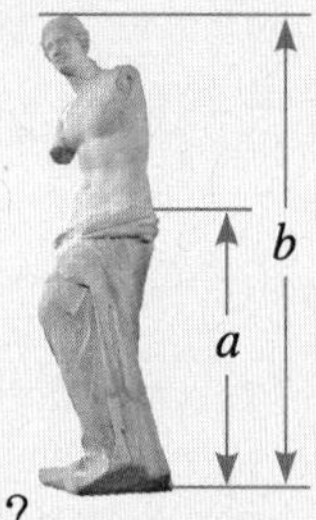

上图中的五角星内还有其他线段长度符合黄金比吗?

请你自己收集一些有关黄金比的信息与同学交流。

练习十一

1.

我们航海模型小组男生有14人，女生有8人。
我们航空模型小组共有26人，其中男生有16人。
我们汽车模型小组共有12人，共做了18个汽车模型。

（1）航海模型小组男女生人数的比是（　　）:（　　），比值是（　　）。
（2）航空模型小组男女生人数的比是（　　）:（　　），比值是（　　）。
女生人数与小组总人数的比是（　　）:（　　），比值是（　　）。
（3）汽车模型小组做的模型总数与人数的比是（　　）:（　　），比值是（　　）。

2. 下面哪面红旗长与宽的比是3 : 2？

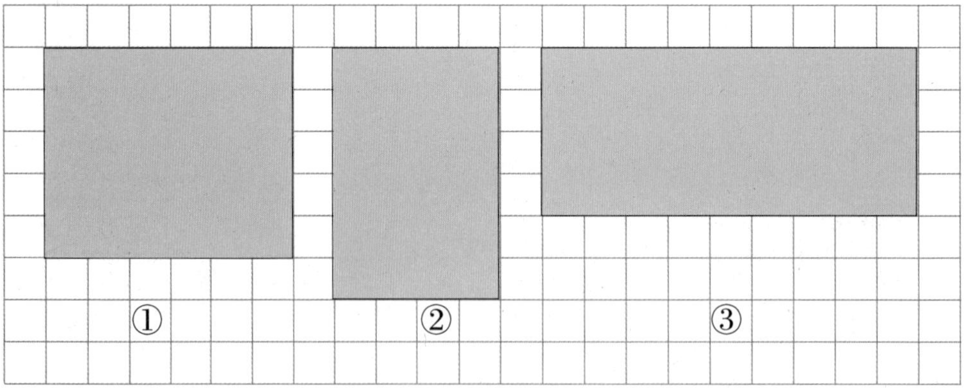
①
②
③

3. 求下面各比的比值。

5 : 9　　0.6 : 0.16　　$\frac{2}{3}:\frac{6}{7}$　　$0.8:\frac{1}{2}$

4. 把下列各比化成后项是 100 的比。

(1) 学校种植树苗，成活的棵数与种植总棵数的比是 49 : 50。

(2) 要配制一种药水，药剂的质量与药水总质量的比是 0.12 : 1。

(3) 某企业去年实际产值与计划产值的比是 275 万 : 250 万。

5. 不同蔬菜中钙和磷含量的比是不同的。

蔬菜	 芹菜	 菠菜	 茄子
钙、磷含量比	7 : 5	2 : 1	23 : 20

上面哪种蔬菜的钙、磷含量比最高？哪种最低？

6.

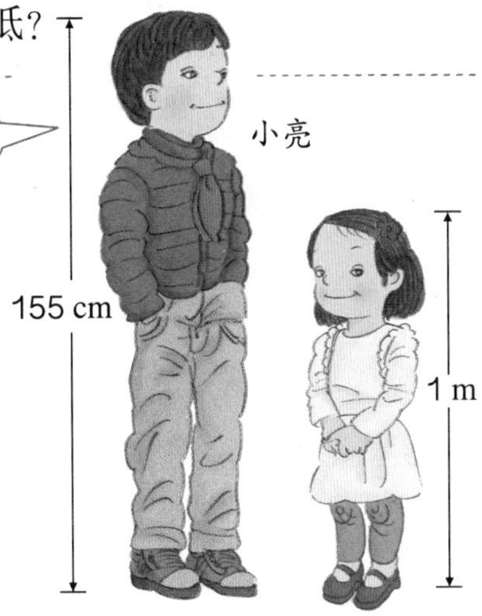

我和表妹身高的比是 155 : 1。
小亮
155 cm
1 m

小亮的说法对吗？正确的比应该是多少？你会化简吗？

7.* 甲数和乙数的比是 2 : 3，乙数和丙数的比是 4 : 5。甲数和丙数的比是多少？

8.* 有一个两位数，十位上的数和个位上的数的比是 2 : 3。十位上的数加上 2，就和个位上的数相等。这个两位数是多少？

两个长方形重叠部分的面积相当于大长方形面积的 $\frac{1}{6}$，相当于小长方形面积的 $\frac{1}{4}$。大长方形和小长方形的面积的比是多少？

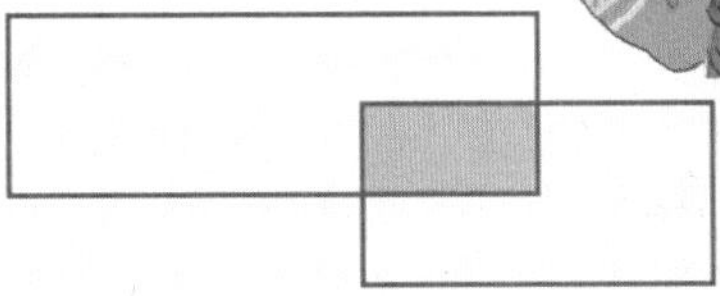

2 这是某种清洁剂浓缩液的稀释瓶，瓶子上标明的比表示浓缩液和水的体积之比。按照这些比，可以配制出不同浓度的稀释液。

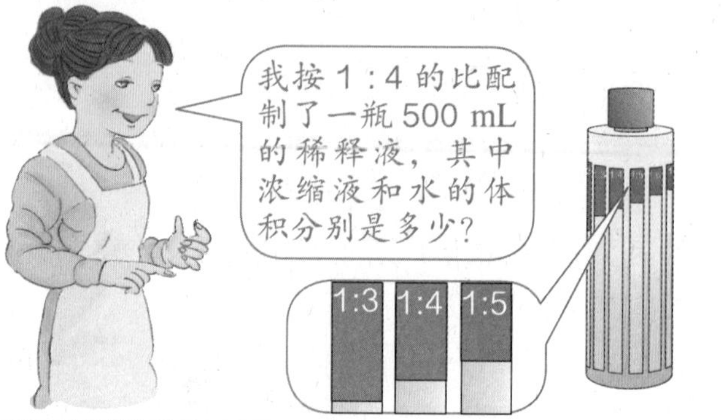
我按 1:4 的比配制了一瓶 500 mL 的稀释液，其中浓缩液和水的体积分别是多少？
1:3
1:4
1:5

阅读与理解

500 mL 是配好后的稀释液的体积，1:4 表示……
要求的是……

分析与解答

我把总体积平均分成 5 份……

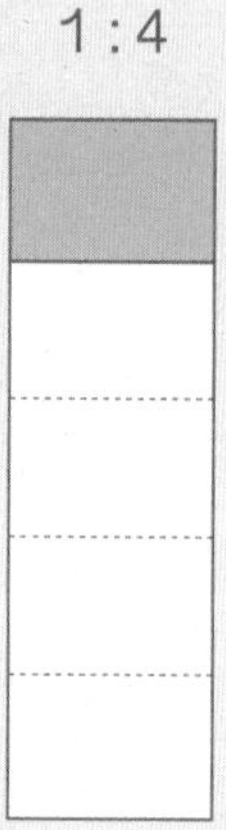
1:4

浓缩液占总体积的 $\frac{1}{1+4}$。

每份是：500÷5=100（mL）

浓缩液有：100×1=100（mL）

水有：100×4=400（mL）

浓缩液有：$500\times\frac{1}{1+4}$

$=100$（mL）

水有：$500\times\frac{(\quad)}{(\quad)}$

=（　　）（mL）

回顾与反思

浓缩液体积 : 水的体积

=（　　）:（　　）

=（　　）:（　　）

要看清楚 1:4 到底是哪两个量之间的比。

答：浓缩液有_____ mL，水有_____ mL。

练习十二

1. 某妇产医院上月新生婴儿 303 名，男女婴儿人数之比是 51 : 50。上月新生男、女婴儿各有多少人？

2.

可以用 1 份蜂蜜和 9 份水来冲兑蜂蜜水。
这个杯子的容积正好是 200 mL，要冲兑一满杯这样的蜂蜜水，需要蜂蜜和水各多少毫升？

3.

加上救生员，我们一共有56人。
每个橡皮艇上有 1 名救生员和 7 名游客。

一共有多少名游客？多少名救生员？

4. 学校把栽 70 棵树的任务按照六年级三个班的人数分配给各班，一班有 46 人，二班有 44 人，三班有 50 人。三个班各应栽多少棵树？

5. 比和除法、分数有什么关系？比的基本性质是什么？请化简下列各比。

24 : 36　　　　0.75 : 1　　　　$\frac{3}{4}:\frac{9}{10}$

6. 填空。

（1）$8:10=\frac{(\quad)}{5}$=40÷(　　)=(　　)（填小数）。

（2）学校电脑小组有男生 25 人，女生 20 人。男生人数是女生的(　　)倍，女生人数与男生人数的最简单的整数比是(　　) : (　　)，女生人数占总人数的$\frac{(\quad)}{(\quad)}$。

（3）20 kg : 0.2 t 的比值是(　　)。

7.

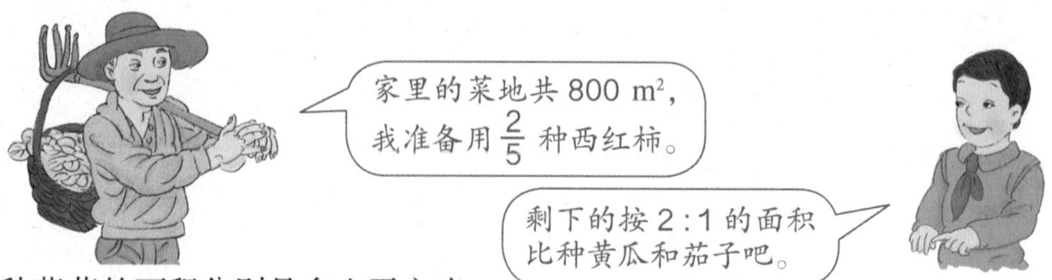

三种蔬菜的面积分别是多少平方米？

8. 请你根据下面的信息，寻找合适的量，写出这些量之间的比。

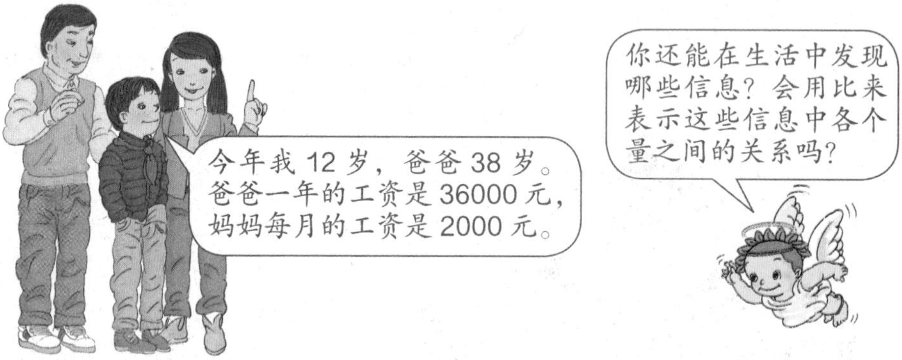

今年我 12 岁，爸爸 38 岁。爸爸一年的工资是 36000 元，妈妈每月的工资是 2000 元。
你还能在生活中发现哪些信息？会用比来表示这些信息中各个量之间的关系吗？

9.* 某仓库里储存了 150 t 大米、60 t 面粉和 15 t 杂粮，求这个仓库里储存的大米、面粉和杂粮的比。并把它化成最简单的整数比。

10.* 搅拌混凝土需要水泥、沙子和石子共 20 t。三种原料分别需要多少吨？

11.* 用 120 cm 的铁丝做一个长方体的框架。长、宽、高的比是 3 : 2 : 1。这个长方体的长、宽、高分别是多少？

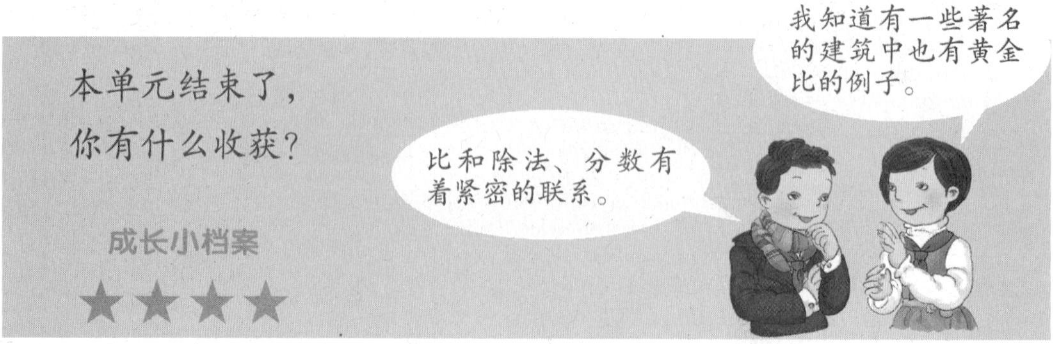

5 圆

1. 圆的认识

从奇妙的自然界到文明的人类社会，从精巧的手工艺品到气势宏伟的各种建筑……到处都可以看到大大小小的圆。

你能想办法在纸上画一个圆吗？

我用茶杯盖画。
我是拿圆规画的。把有针尖的一只脚固定在纸上……
这把三角尺上正好有个圆。

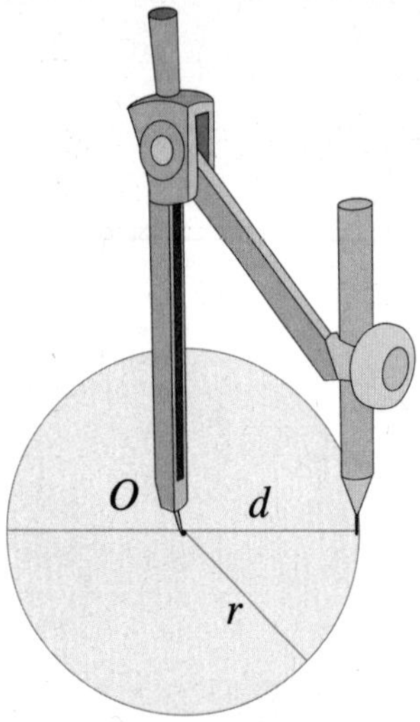

如左图，用圆规画圆时，针尖所在的点叫做**圆心**，一般用字母 O 表示。连接圆心和圆上任意一点的线段叫做**半径**，一般用字母 r 表示，半径的长度就是圆规两个脚之间的距离。通过圆心并且两端都在圆上的线段叫做**直径**，一般用字母 d 表示。

用圆规画几个不同大小的圆，剪下来，沿着直径折一折，画一画，量一量，会有什么发现？

把圆沿任何一条直径对折，两边可以重合。
一个圆里的半径有无数条，直径有……
同一圆内，所有的半径都相等，所有的直径都相等，直径长度是半径的……

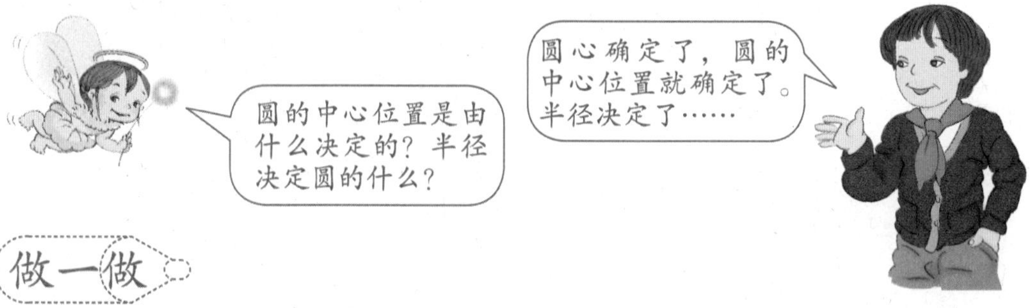

圆的中心位置是由什么决定的？半径决定圆的什么？
圆心确定了，圆的中心位置就确定了。半径决定了……

做一做

1. 对于上页中用杯子盖、三角尺画出的圆，如何找到圆心？请你自己画一画，试一试。

2. 用圆规画一个半径是 2 cm 的圆，并用字母 O、r、d 标出它的圆心、半径和直径。

用圆可以设计许多漂亮的图案。下面的图形就是用圆规和直尺一步一步画出来的。

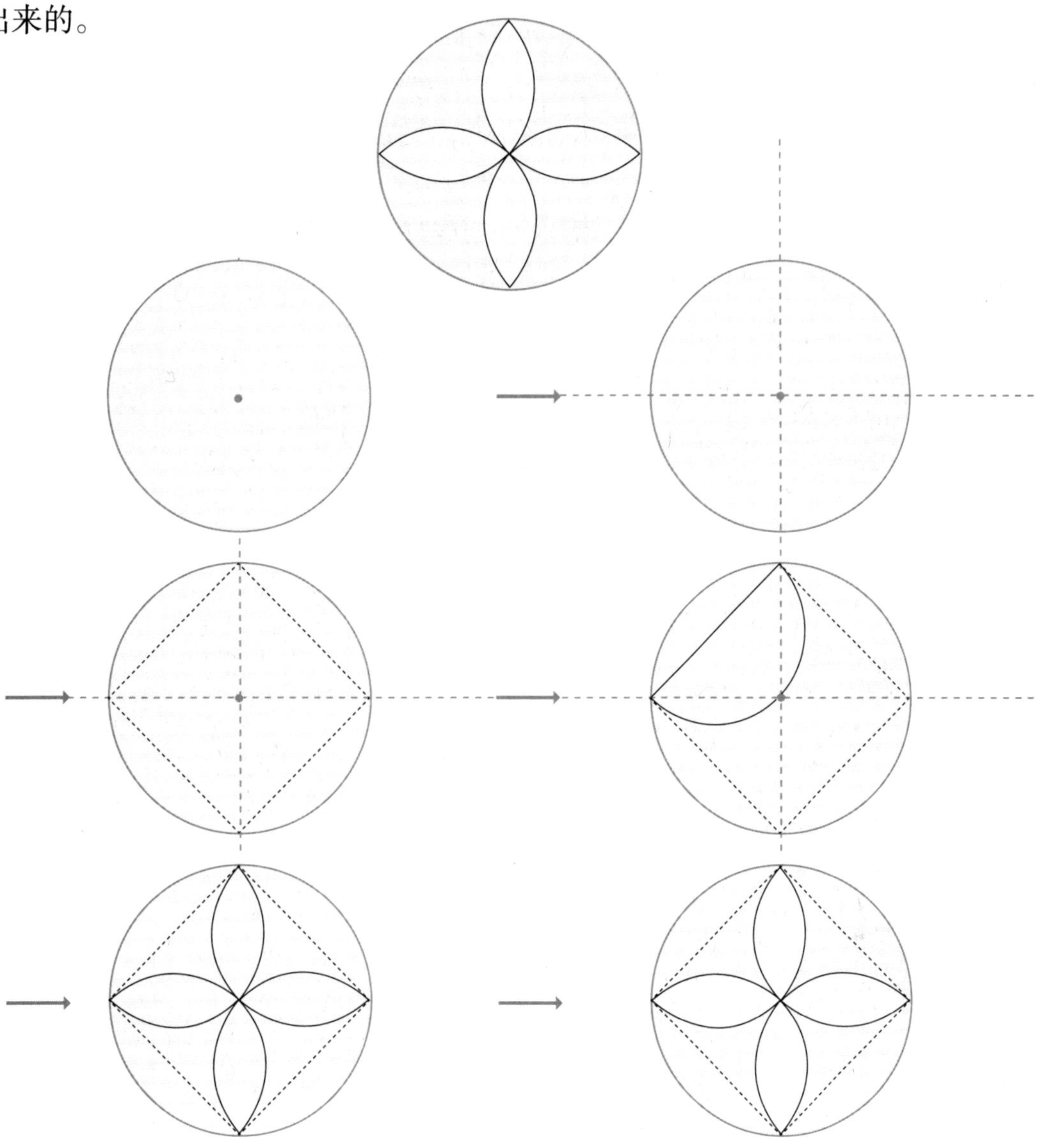

请你试着用圆规和直尺画一画下面的图形。

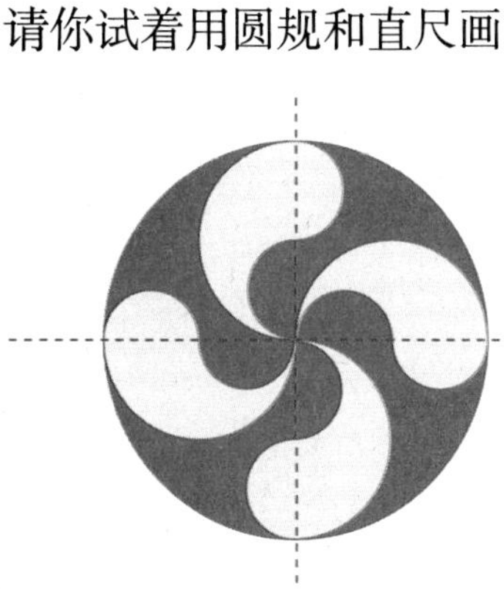

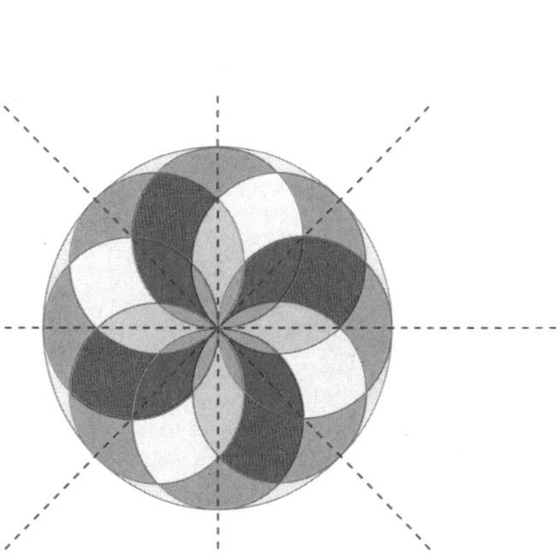

练 习 十 三

1. 按下面的要求，用圆规画圆。

（1）r =3 cm　　（2）d =5 cm　　（3）r =3.5 cm

2. 看图填空。

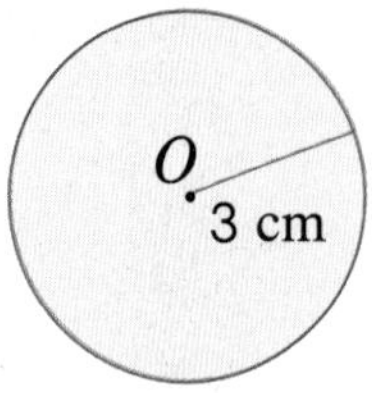

d=________

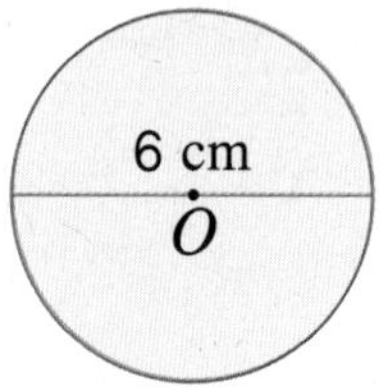

r=________

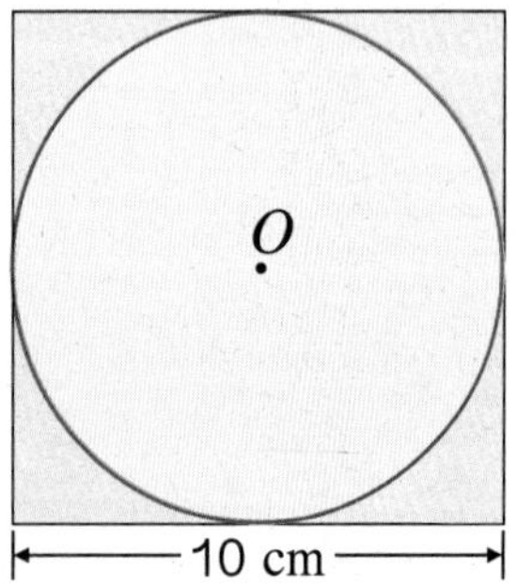

d=________

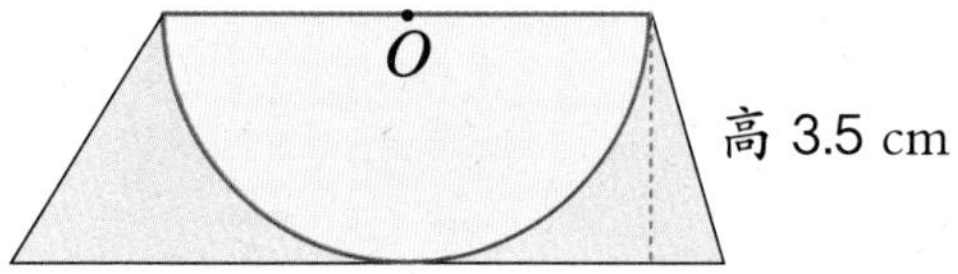

r=________

3. 用下面的方法可以测量没有标出圆心的圆的直径。请你试一试。

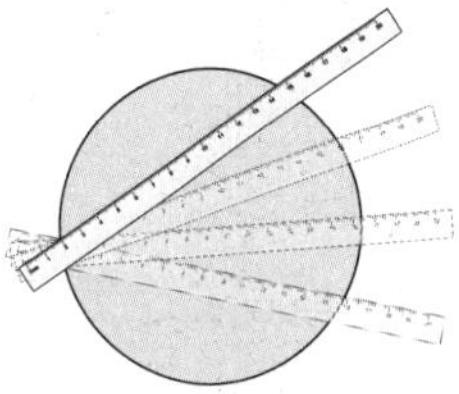

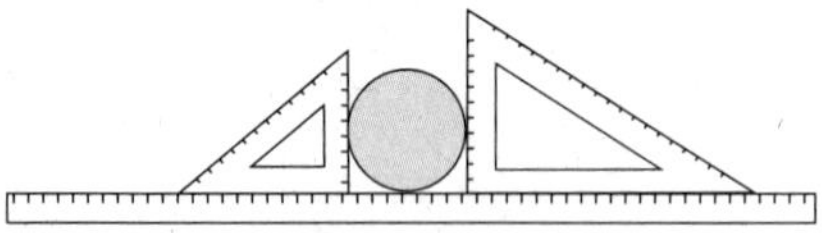

4. 学校要建一个直径是 10 m 的圆形花坛，你能用什么方法画出这个圆？

5. 填表（单位：m）。

r	0.24		1.42		2.6
d		0.86		1.04	

6. 想一想，我们已经学过的平面图形中有哪些是轴对称图形？哪些图形的对称轴只有一条？哪些不止一条？

7. 根据对称轴画出轴对称图形的另外一半。

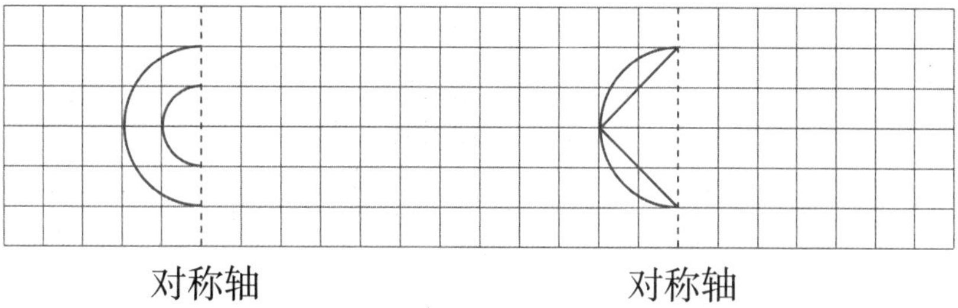

8. 在下列各图形中，你能分别画出几条对称轴？

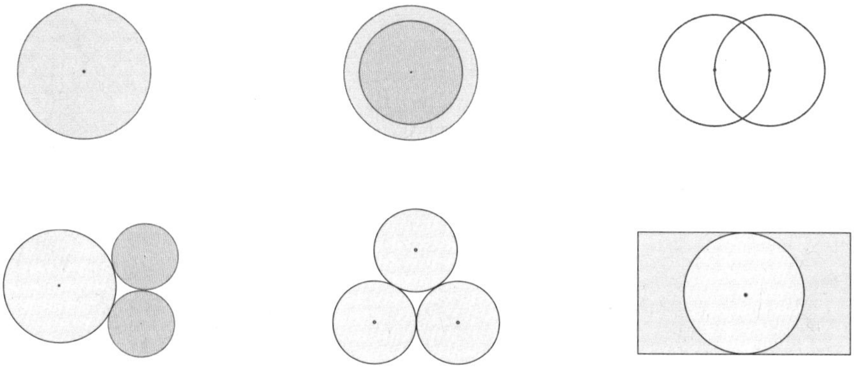

9. 如图，在长方形中有三个大小相等的圆，已知这个长方形的长是 18 cm，圆的直径是多少？长方形的周长是多少？

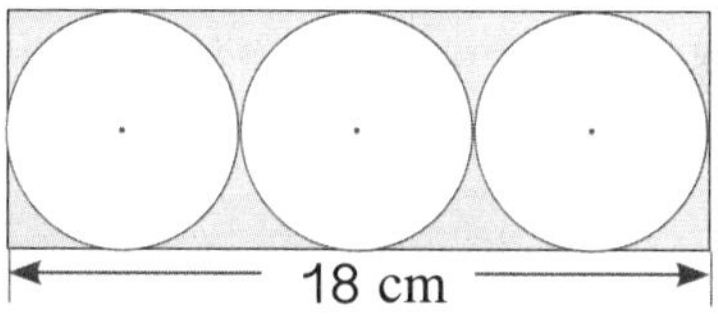

10. 利用圆规和三角尺，你能画出下面这些美丽的图案吗？试试看。

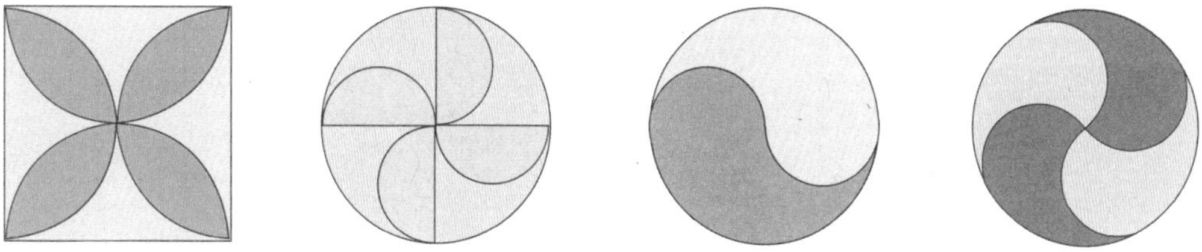

2. 圆的周长

圆桌和菜板都有点开裂，需要在它们的边缘箍上一圈铁皮。
分别需要多长的铁皮啊？

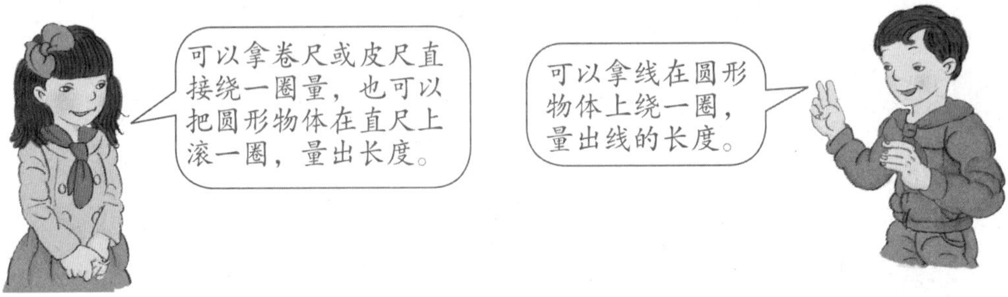
可以拿卷尺或皮尺直接绕一圈量，也可以把圆形物体在直尺上滚一圈，量出长度。
可以拿线在圆形物体上绕一圈，量出线的长度。

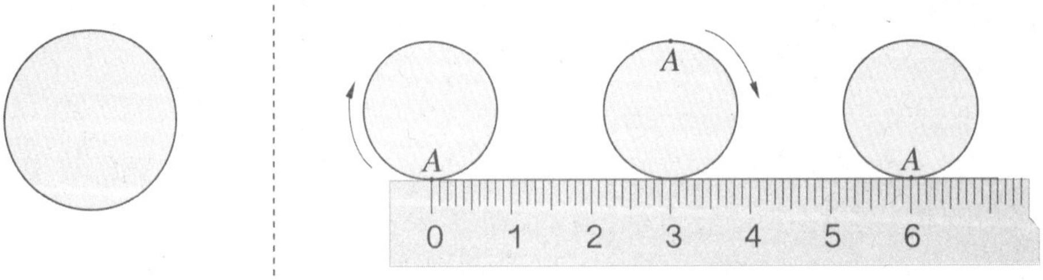
A
A
A
0 1 2 3 4 5 6

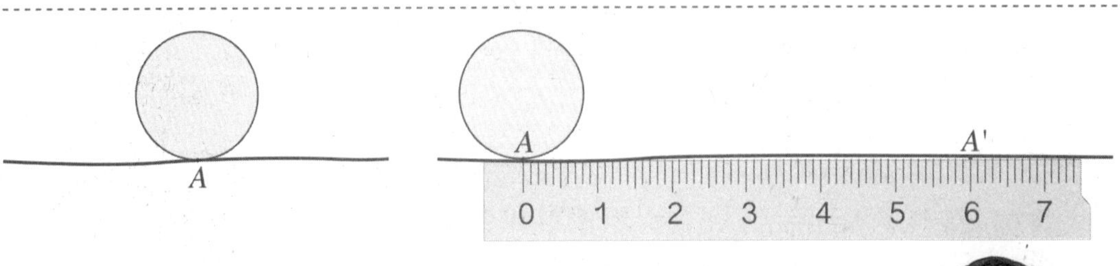
A
A
A'
0 1 2 3 4 5 6 7

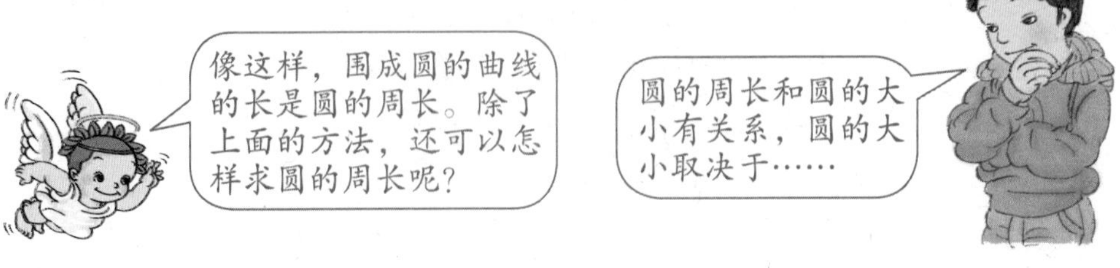
像这样，围成圆的曲线的长是圆的周长。除了上面的方法，还可以怎样求圆的周长呢？
圆的周长和圆的大小有关系，圆的大小取决于……

让我们来做一个实验：找一些圆形的物品，分别量出它们的周长和直径，并算出周长和直径的比值，把结果填入下表中，看看有什么发现。

物品名称	周长	直径	$\frac{周长}{直径}$的比值（保留两位小数）

原来一个圆的周长总是它的直径的 3 倍多一些。

其实，早就有人研究了周长与直径的关系，发现任意一个圆的周长与它的直径的比值是一个固定的数，我们把它叫做**圆周率**，用字母 π（pài）表示。它是一个无限不循环小数，π = 3.1415926535……但在实际应用中常常只取它的近似值，例如 π ≈ 3.14。

如果用 C 表示圆的周长，就有：

$$C=\pi d \quad 或 \quad C=2\pi r$$

◎ 你知道吗？◎

约2000年前，中国的古代数学著作《周髀（bì）算经》中就有“周三径一”的说法，意思是说圆的周长约是它的直径的3倍。

约1500年前，中国有一位伟大的数学家和天文学家祖冲之，他计算出圆周率应在3.1415926和3.1415927之间，成为世界上第一个把圆周率的值精确到7位小数的人。这一成就比国外大约要早1000年。现在人们用计算机算出的圆周率，小数点后面已经达到上亿位。

1

这辆自行车轮子的半径大约是 33 cm。

这辆自行车轮子转 1 圈，大约可以走多远？（结果保留整米数。）小明家离学校 1 km，骑车从家到学校，轮子大约转了多少圈？

$$C=2\pi r$$

2×3.14×33=207.24（cm）≈ 2（m）

1 km=1000 m

1000÷2=500（圈）

答：这辆自行车轮子转 1 圈，大约可以走 2 m。骑车从家到学校，轮子大约转了 500 圈。

做一做

1. 求下面各圆的周长。

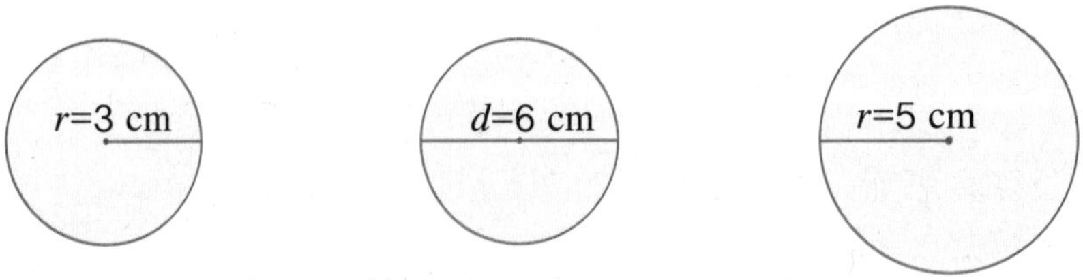
r=3 cm
d=6 cm
r=5 cm

2.

我用卷尺量得圆桌面的周长是 4.71 m。

这个圆桌面的直径是多少？

练 习 十 四

1. 一个圆形喷水池的半径是 5 m，它的周长是多少米？

2. 在一个圆形亭子里，小丽沿着直径从一端走 12 步到达另一端，每步长大约是 55 cm。这个圆的周长大约是多少米？

3. 小红量得一个古代建筑中的大红圆柱的周长是 3.77 m。这个圆柱的直径是多少米？（得数保留一位小数。）

4. 一只挂钟的分针长 20 cm，经过 30 分钟后，分针的尖端所走的路程是多少厘米？经过 45 分钟呢？

5. 一个圆形牛栏的半径是 15 m，要用多长的粗铁丝才能把牛栏围上 3 圈？（接头处忽略不计。）如果每隔 2 m 打一根木桩，大约要打多少根木桩？

6. 杂技演员表演独轮车走钢丝，车轮的直径为 40 cm，要骑过 50.24 m 长的钢丝，车轮大约要转动多少周？

7. 看图填空（单位：cm）。

（1）

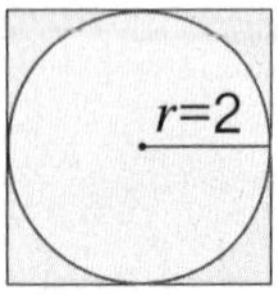

正方形的周长是（　　）cm，
圆的周长是（　　）cm。

（2）

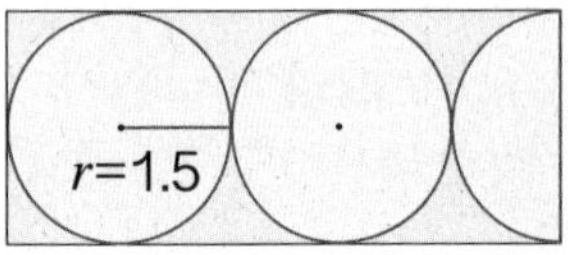

其中一个圆的周长是（　　）cm，
长方形的周长是（　　）cm。

8. 在一个周长为 100 cm 的正方形纸片内，要剪一个最大的圆，这个圆的半径是多少厘米？

9. 李明家一扇门上要装上形状如右图所示的装饰木条，需要木条多少米？

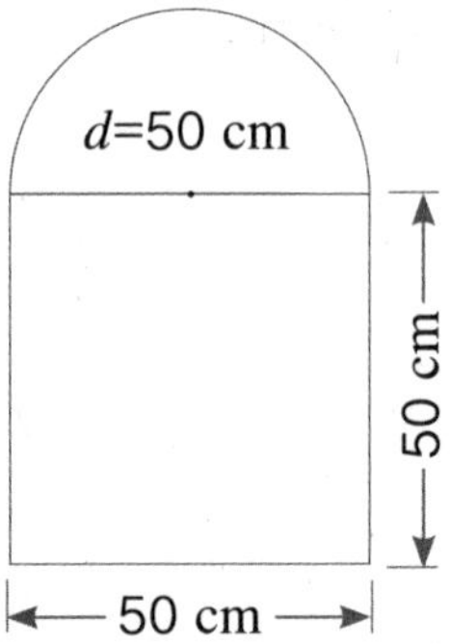

10. 下面图形的周长是多少厘米？你是怎样算的？

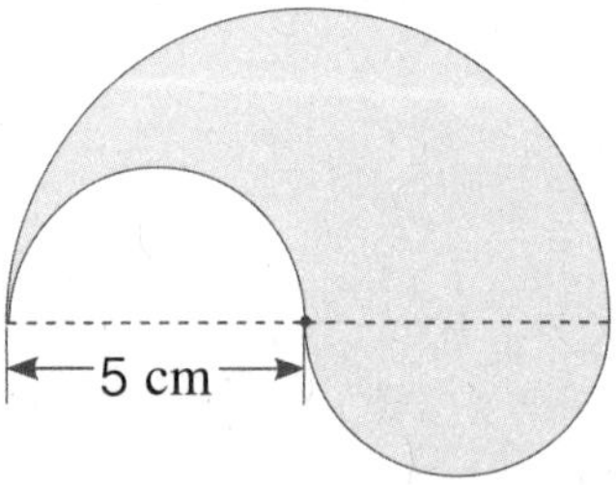

11.* 把圆柱形物体分别捆成如下图（从底面方向看）的形状，如果接头处不计，每组至少需要多长的绳子？你发现了什么？

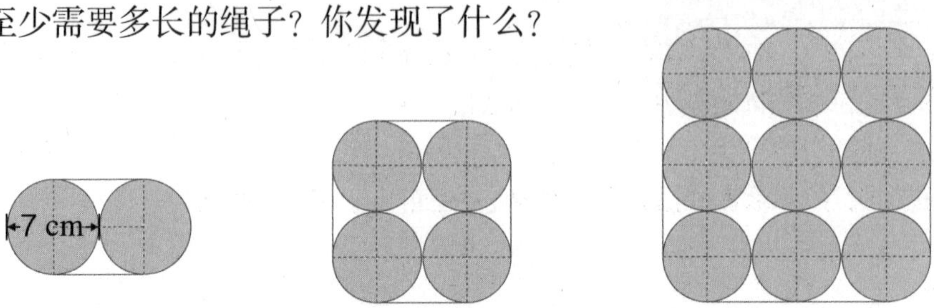

3. 圆的面积

在硬纸上画一个圆，把圆分成若干（偶数）等份，剪开后，用这些近似于等腰三角形的小纸片拼一拼，你能发现什么？

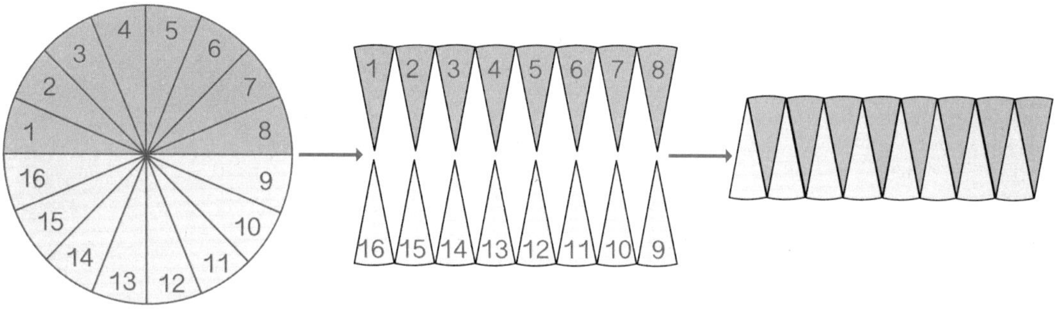

分的份数越多，每一份就会越小，拼成的图形就会越接近于一个长方形。

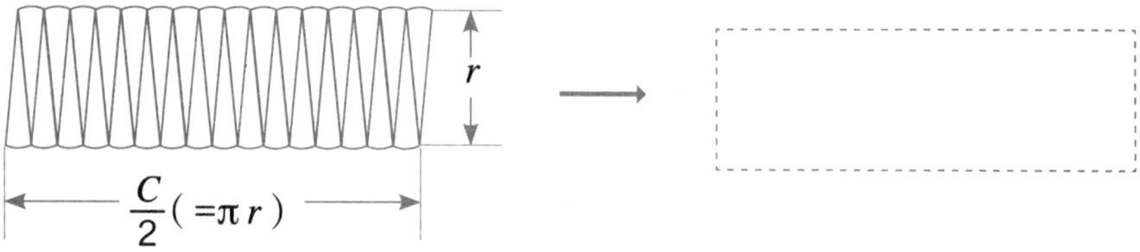

从上图中可以看出圆的半径是 r，长方形的长近似于（　），宽近似于（　）。

因为长方形的面积 =（　　）×（　　），

所以圆的面积 =（　　）×（　　）=（　　）。

如果用 S 表示圆的面积，那么圆的面积计算公式就是：

$$S=\pi r^2$$

1 圆形草坪的直径是 20 m，每平方米草皮 8 元。铺满草皮需要多少钱？

$20 \div 2 = 10$（m）

$3.14 \times 10^2 = 314$（m^2）

$314 \times 8 =$ ______（元）

答：铺满草皮需要______元。

2 光盘的银色部分是一个圆环，内圆半径是 2 cm，外圆半径是6 cm。圆环的面积是多少？

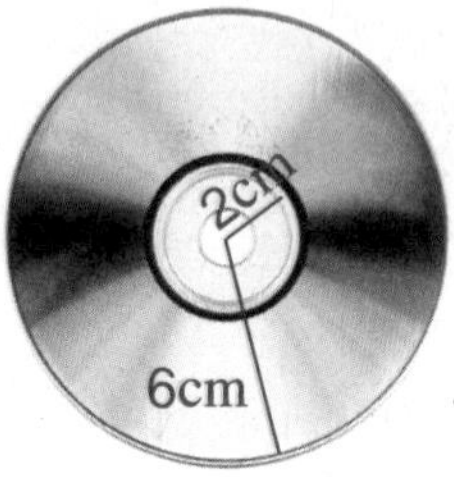

$3.14 \times 6^2 - 3.14 \times 2^2$

= ______________

= ________（cm^2）

$3.14 \times (6^2 - 2^2)$

= ______________

= ________（cm^2）

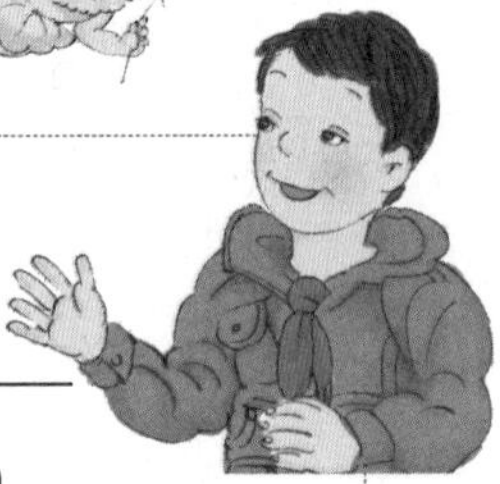

答：圆环的面积是 ________ cm^2。

做一做

1. 一个圆形茶几桌面的直径是 1 m ，它的面积是多少平方米？

2. 一个圆形环岛的直径是 50 m，中间是一个直径为 10 m 的圆形花坛，其他地方是草坪。草坪的占地面积是多少？

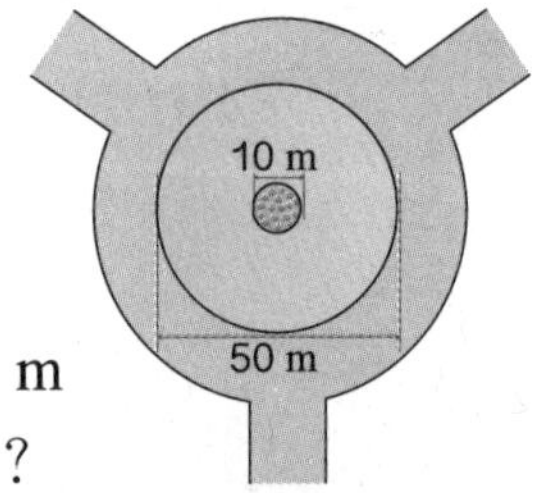

◎ 你知道吗？◎

刘徽是我国魏晋时期的数学家，他在《九章算术》方田章“圆田术”注中提出把割圆术作为计算圆的周长、面积以及圆周率的基础。刘徽从圆内接六边形开始，将边数逐次加倍，得到的圆内接正多边形就逐步逼近圆，“割之弥细，所失弥少，割之又割，以至于不可割，则与圆周合体而无所失矣。”

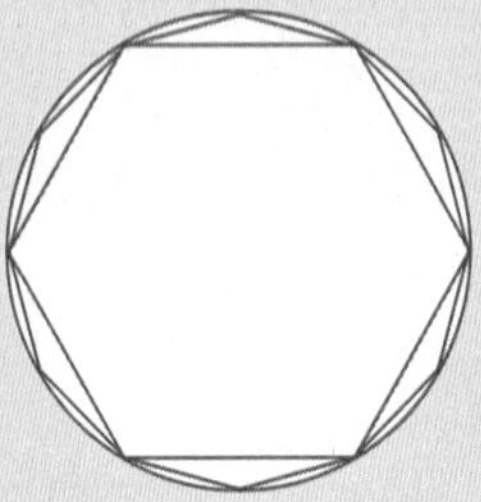

3

 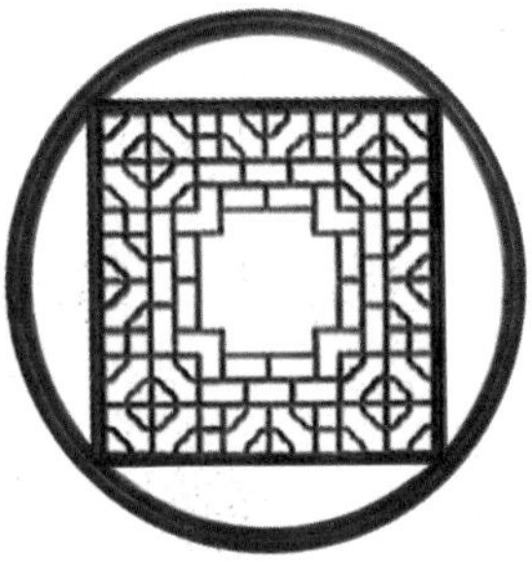

中国建筑中经常能见到“外方内圆”和“外圆内方”的设计。上图中的两个圆半径都是 1 m，你能求出正方形和圆之间部分的面积吗？

阅读与理解

两个圆的半径都是 1 m。
左图求的是正方形比圆多的面积，右图求的是……

分析与解答

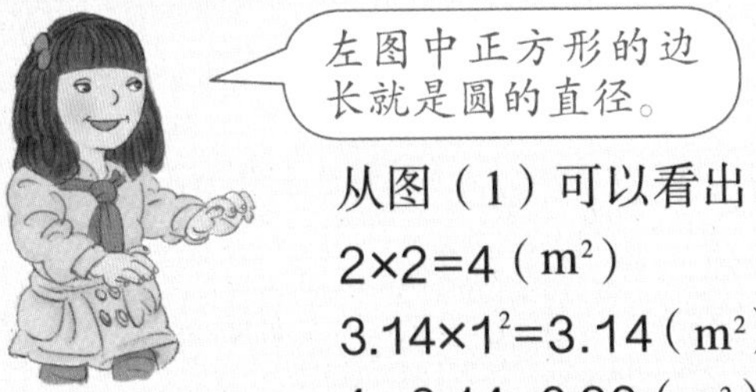

左图中正方形的边长就是圆的直径。

从图（1）可以看出：

$2\times2=4$（m^2）

$3.14\times1^2=3.14$（m^2）

$4-3.14=0.86$（m^2）

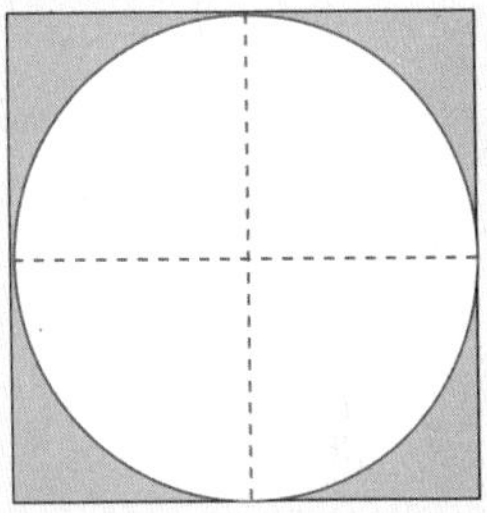

图（1）

可是右图中正方形的边长是多少呢？

可以把右图中的正方形看成两个三角形，它的底和高分别是……

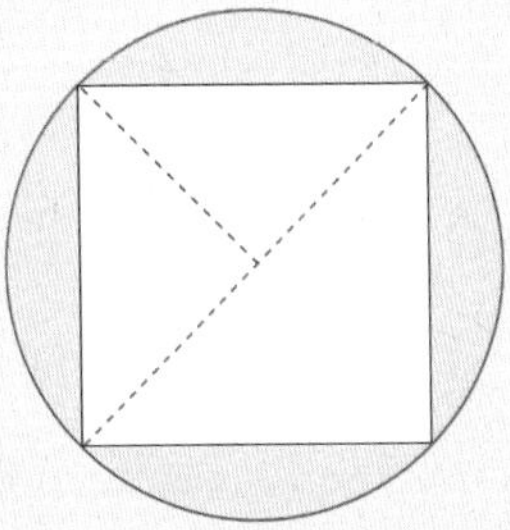

图（2）

从图（2）可以看出：

$\left(\frac{1}{2}\times2\times1\right)\times2=2$（$m^2$）

$3.14-2=1.14$（m^2）

回顾与反思

如果两个圆的半径都是 r，结果又是怎样的？

左图：$(2r)^2-3.14\times r^2=0.86r^2$

右图：$3.14\times r^2-\left(\frac{1}{2}\times 2r\times r\right)\times 2=1.14r^2$

当 $r=1$ m 时，和前面的结果完全一致。

答：左图中正方形与圆之间的面积是 0.86 m^2，右图中圆与正方形之间的面积是 1.14 m^2。

做一做

右图是一面我国唐代外圆内方的铜镜。铜镜的直径是 24 cm。外面的圆与内部的正方形之间的面积是多少？

◎ 生活中的数学 ◎

如果你仔细观察就会发现：我们周围很多东西的平面轮廓都是圆形的，如车轮、马路上的大多数井盖……这是为什么呢？

车轮平面轮廓采用圆形，是利用同一圆的半径都相等的性质，把车轴装在车轮的圆心上。当车轮在地面上滚动的时候，车轴离地面的距离总是等于车轮的半径，因此只要道路平坦，车子就会平稳地在地面上行驶。试想一下，如果车轮是正方形的，为了保持车辆的平稳行驶，道路应该是什么样子的呢？

井盖平面轮廓采用圆形的一个原因是圆形井盖怎么放都不会掉到井里，并且能恰好盖住井口，这里利用了同一圆的直径都相等的性质。

练习十五

1. 完成下表。

半径	直径	圆面积
4 cm		
	9 cm	
	6 cm	
20 cm		

2. 计算下面各圆的周长和面积。

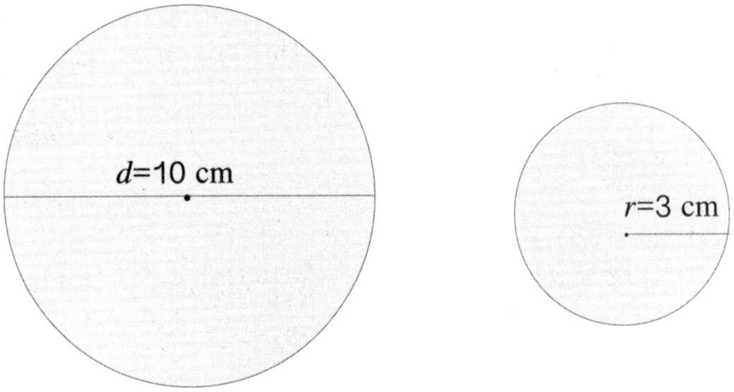

3. 公园草地上一个自动旋转喷灌装置的射程是 10 m，它能喷灌的面积是多少？

4. 小刚量得一棵树干的周长是 125.6 cm。这棵树干的横截面近似于圆，它的面积大约是多少？

5. 右图是一块玉璧，外直径 18 cm，内直径 7 cm。这块玉璧的面积是多少？

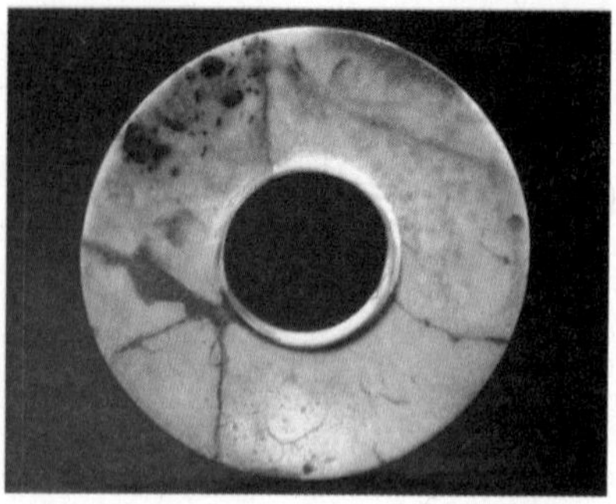

6.

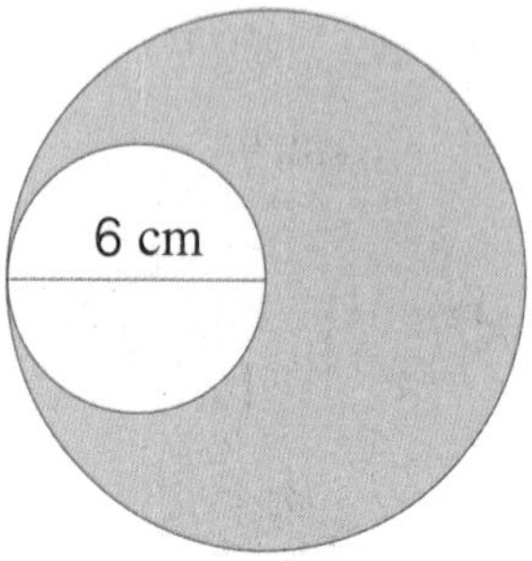

左图中的大圆半径等于小圆的直径，请你求出阴影部分的面积。

7. 计算下面左边图形的周长和右边圆环的面积。

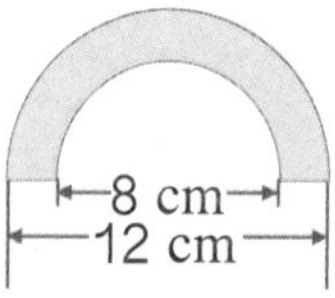

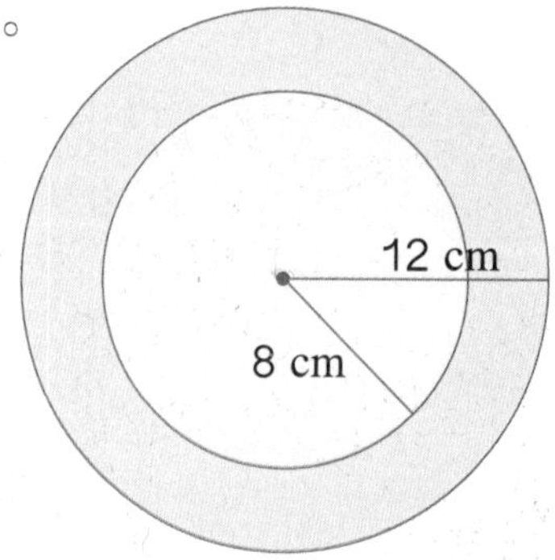

8. 在你的生活里找找圆环形的物体，测量一下，再算算它的面积。

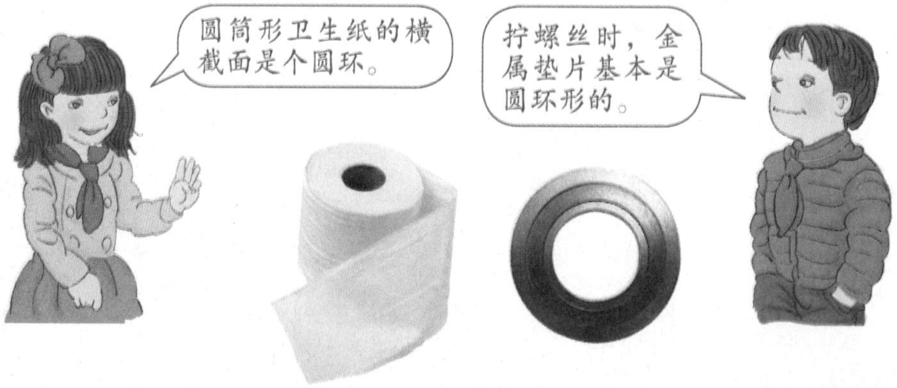

圆筒形卫生纸的横截面是个圆环。
拧螺丝时，金属垫片基本是圆环形的。

9. 右图中的铜钱直径 28 mm，中间的正方形边长为 6 mm。这个铜钱的面积是多少？

10. 一个运动场如右图，两端是半圆形，中间是长方形。这个运动场的周长是多少米？面积是多少平方米？

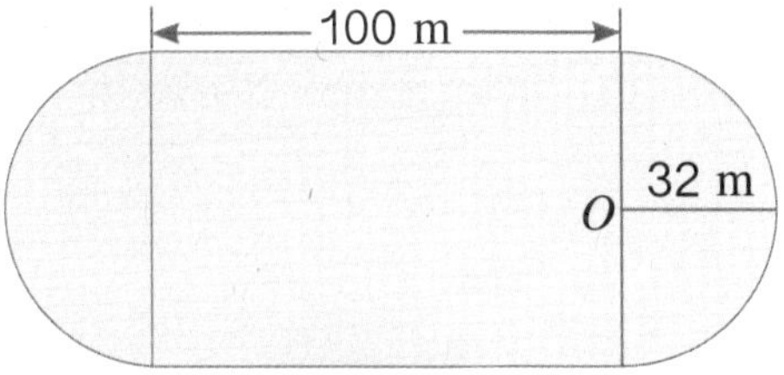

11. 右图中的花瓣状门洞的边是由 4 个直径相等的半圆组成的。这个门洞的周长和面积分别是多少？

12. 

土楼是福建、广东等地区的一种建筑形式，被列入“世界物质文化名录”，土楼的外围形状有圆形、方形、椭圆形等。有两座地面是圆环形的土楼，其中一座外直径 34 m，内直径 14 m；另一座外直径 26 m，内直径也是 14 m。两座土楼的房屋占地面积相差多少？

13. 一个圆的周长是 62.8 m，半径增加了 2 m 后，面积增加了多少？

14. 篮球场上的 3 分线是由两条平行线段和一个半圆组成的。请你根据图中的数据计算出 3 分线的长度和 3 分线内区域的面积。（得数保留两位小数。）

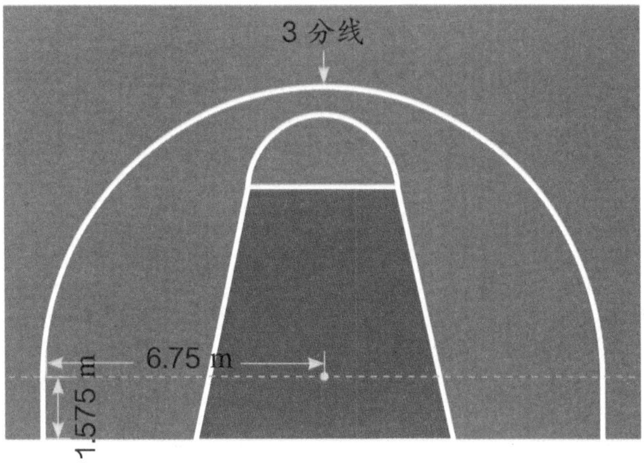

15.* 在每个正方形中分别画一个最大的圆，并完成下表。

正方形的边长	1 cm	2 cm	3 cm	4 cm	
正方形的面积					
圆的面积					
面积之比					

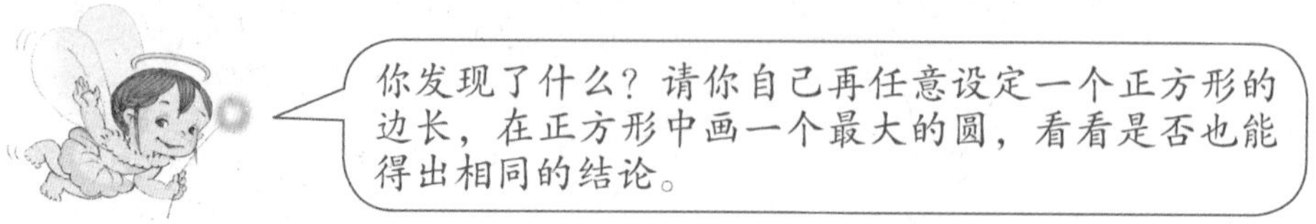
你发现了什么？请你自己再任意设定一个正方形的边长，在正方形中画一个最大的圆，看看是否也能得出相同的结论。

16.* 有一根绳子长 31.4 m，小红、小东和小林分别想用这根绳子在操场上围出一块地。怎样围面积最大？

我想围成正方形。
我想围成圆形。

17.* 为什么草原上蒙古包的底面是圆形的？为什么绝大多数的根和茎的横截面是圆形的？请你试着从数学的角度解释一下。

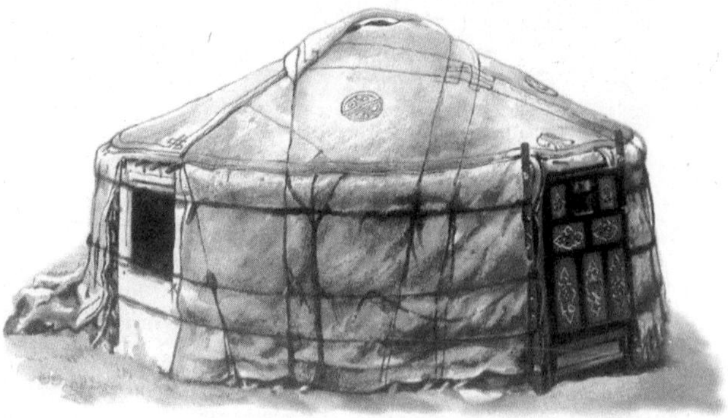

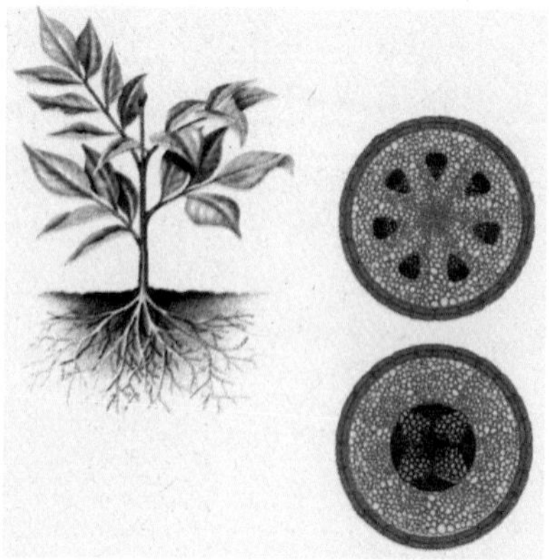

4. 扇形

扇贝

扇形藻

折扇

这些物体的名称都含有“扇”字，那什么是扇形呢？

如右图，圆上 A、B 两点之间的部分叫做**弧**，读作“弧 AB”。一条弧和经过这条弧两端的两条半径所围成的图形叫做**扇形**。图中涂色部分就是扇形。

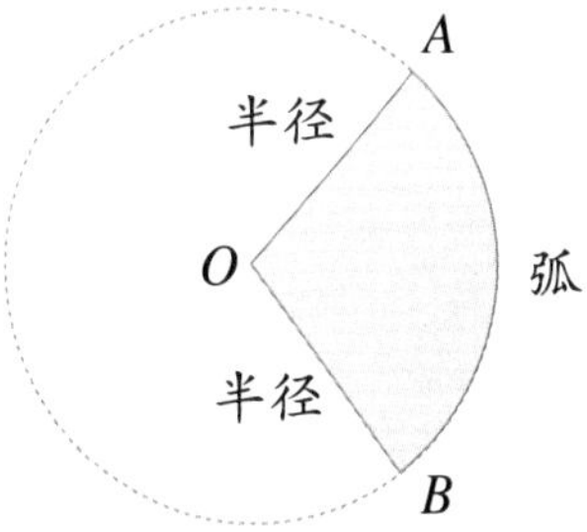

像 $\angle AOB$ 这样，顶点在圆心的角叫做**圆心角**。

可以发现，在同一个圆中，扇形的大小与这个扇形的圆心角的大小有关。

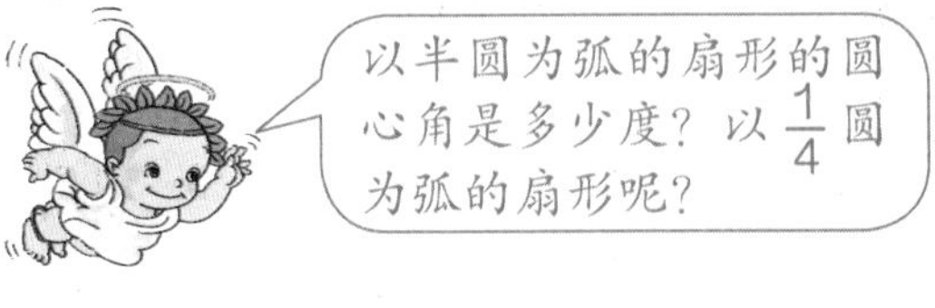

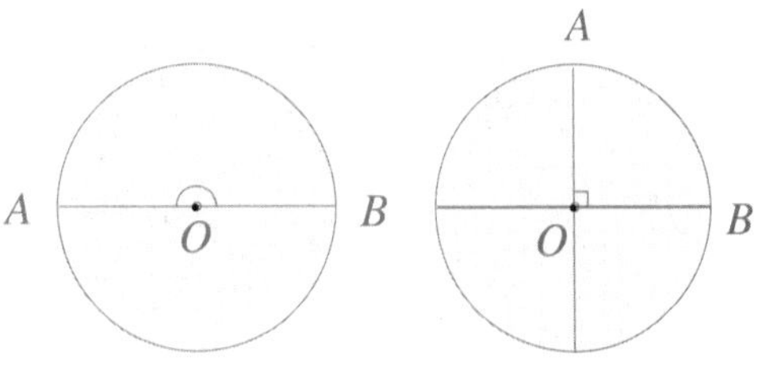

练 习 十 六

1. 指出下列物体中的扇形。

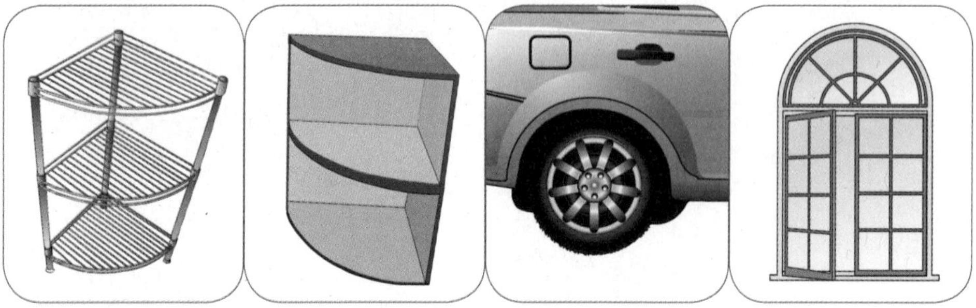

2. 下面图形中哪些角是圆心角？在（　）里画“√”。

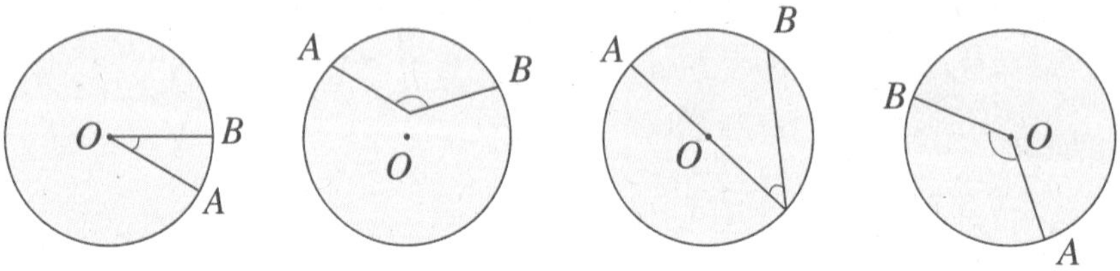

（　）　　（　）　　（　）　　（　）

3. 画一个半径是 2 cm 的圆，再在圆中画一个圆心角是 100° 的扇形。

4.* 你在生活中见过下面这些图案吗？

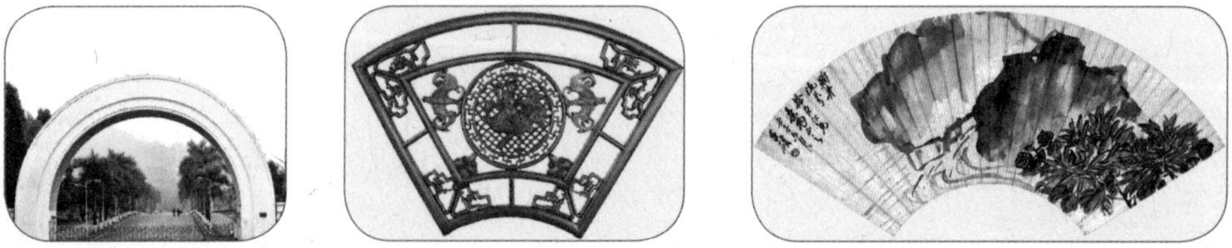

像下面这样一个圆环被截得的部分叫做扇环。你能求出下面各扇环的面积吗？

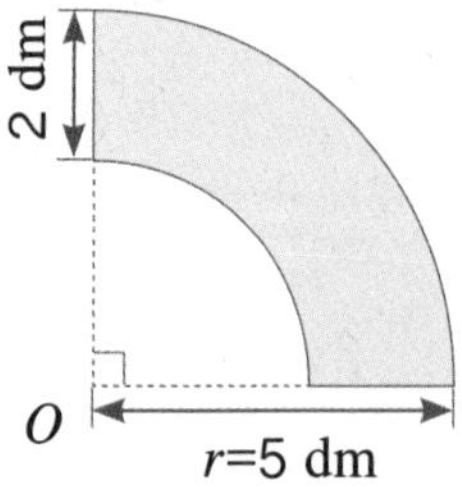

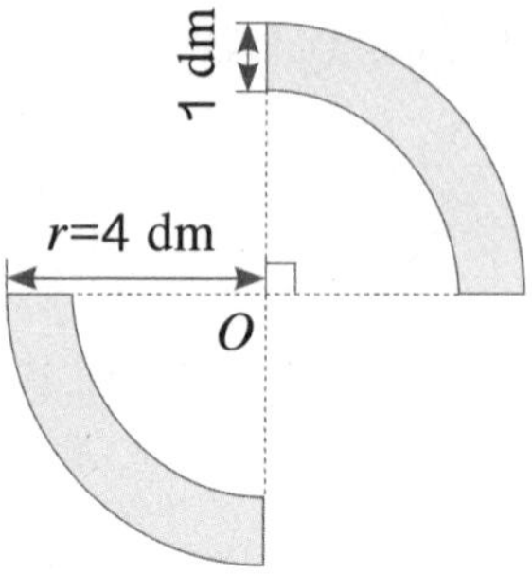

整理和复习

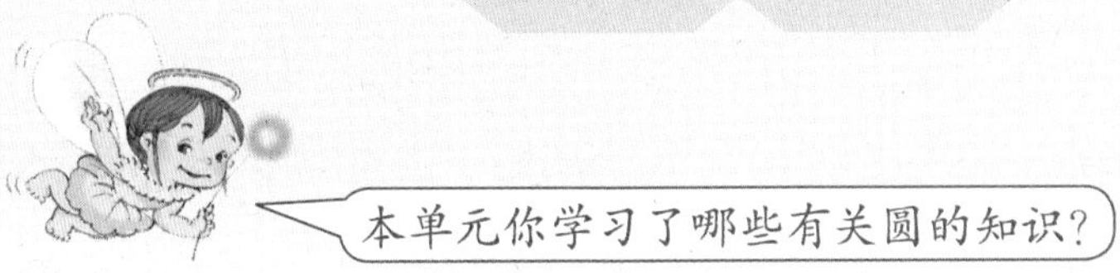
本单元你学习了哪些有关圆的知识？

在同一个圆里，半径的长度是直径的$\frac{1}{2}$。
圆是一种轴对称的曲线图形，利用它可以设计很多美丽的图案。
一个圆的周长等于它的直径乘π。

1. 请你找出下列圆的圆心和直径。

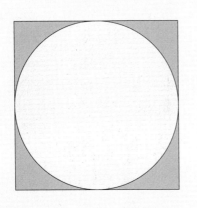

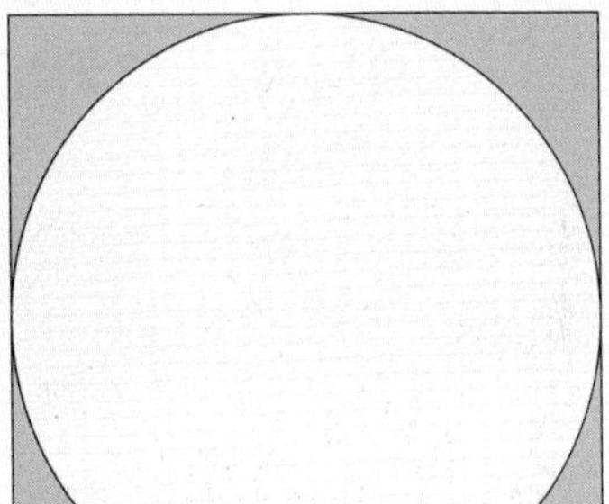

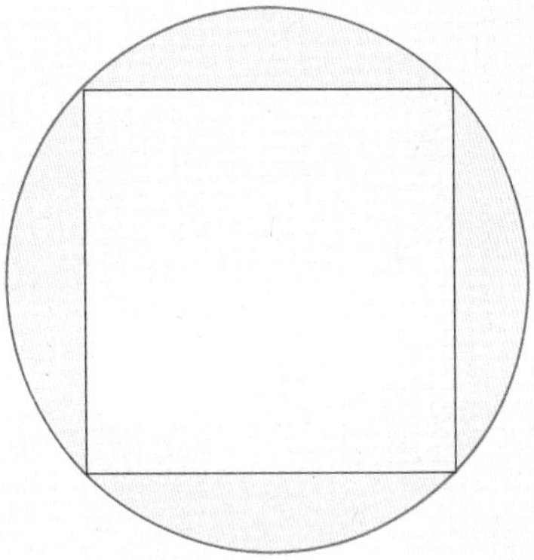

2. 一个圆形餐桌面的直径是 2 m。

（1）它的面积是多少平方米？

（2）如果一个人需要 0.5 m 宽的位置就餐，这张餐桌大约能坐多少人？

（3）如果在这张餐桌的中央放一个半径是 0.5 m 的圆形转盘，剩下的桌面面积是多少？

练习十七

1. 你见过“驴拉磨”吗？如果驴绕着一个半径为 1.2 m 的圆走一圈，大约要走多少米？

2. 右图中的双面绣作品中间部分的画是一个直径是 20 cm 的圆。这幅画的面积是多少？

3. 用 10 m 长的铁条做直径是 50 cm 的圆形铁环，最多可以做多少个？

4. 

儿童乐园要修建一个圆形旋转木马场地，木马旋转范围的直径是 8 m，周边还要留出 1 m 宽的小路，并在外侧围上栏杆，这块场地的占地面积是多少？

5. 一个羊圈依墙而建，呈半圆形，半径是 5 m。

（1）修这个羊圈需要多长的栅栏？

（2）如果要扩建这个羊圈，把它的直径增加 2 m。羊圈的面积增加了多少？

6. 判断对错，对的画“√”，错的画“×”。

（1）圆周率 π 就是 3.14。 （ ）
（2）圆的半径扩大到原来的 2 倍，周长和面积也扩大到原来的 2 倍。（ ）
（3）半径相等的两个圆周长相等。 （ ）
（4）两个圆的直径相等，它们的半径也一定相等。 （ ）
（5）用 4 个圆心角都是 90° 的扇形，一定可以拼成一个圆。 （ ）

7. 如图，一台压路机的前轮直径是 1.7 m，如果前轮每分钟转动 6 周，压路机 10 分钟前进多远？

8. 如右图，街心公园有两块半圆形的草坪，它们的周长都是 128.5 m，这两块草坪的总面积是多少？

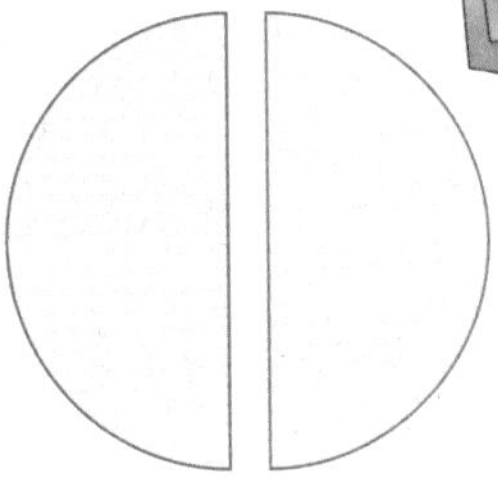

9. 如图，中间是边长为 1 cm 的正方形，与这个正方形每一条边相连的都是圆心角为 90° 的扇形，整个图形的面积是多少？

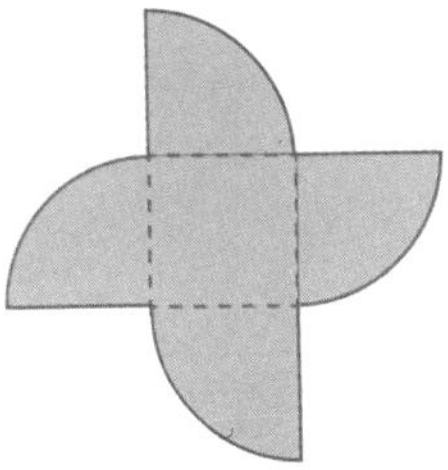

10. 如图，学校操场的跑道由正方形的两条对边和两个半圆组成。小晨在操场上跑了 5 圈，一共是多少米？

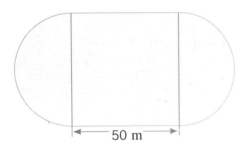

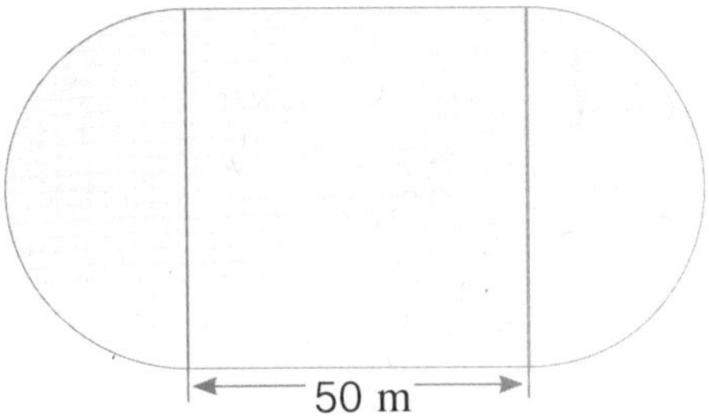

50 m

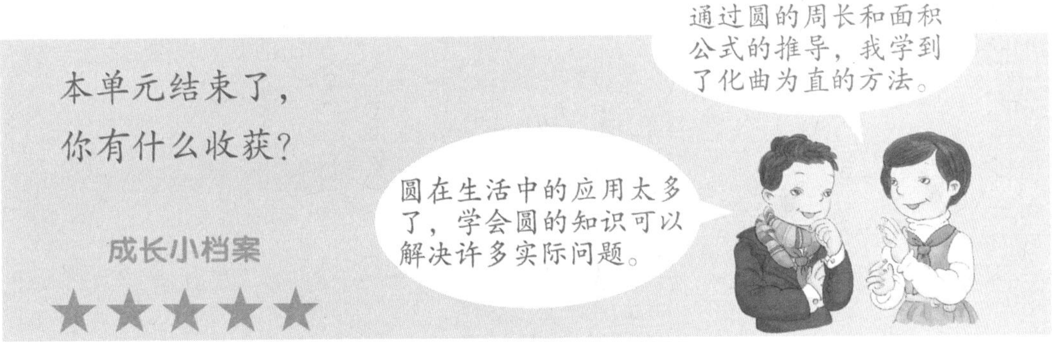

本单元结束了，
你有什么收获？
成长小档案
通过圆的周长和面积公式的推导，我学到了化曲为直的方法。
圆在生活中的应用太多了，学会圆的知识可以解决许多实际问题。

确定起跑线

为什么运动员站在不同的起跑线上？
终点相同，如果在同一条起跑线上，外圈跑道的同学跑的路程长！
所以外圈跑道的起跑线位置应该往前移。
各跑道的起跑线应该相差多少米呢？

跑道由两条直的跑道和两个半圆形跑道组成。
直道的长度是 85.96 m，第一条半圆形跑道的直径为 72.6 m，每条跑道宽 1.25 m。

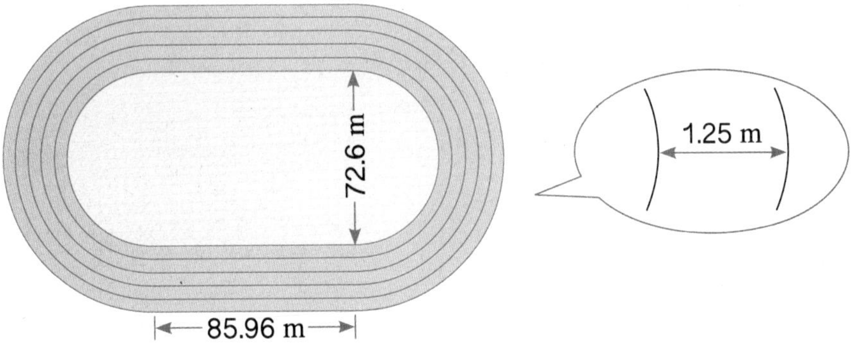

	1	2	3	4	5	6	7	8
直径 / m	72.6	75.1						
圆周长 / m	228.08	235.93						
跑道全长 / m	400	407.85						

注：π 取 3.14159

我把每条跑道的长度都算出来，相差……
我不用算出每条跑道的长度，也知道它们相差多少米。
400 m 要跑一圈，每一道的起跑线要比前一道提前……
200 m 跑呢？

6 百分数（一）

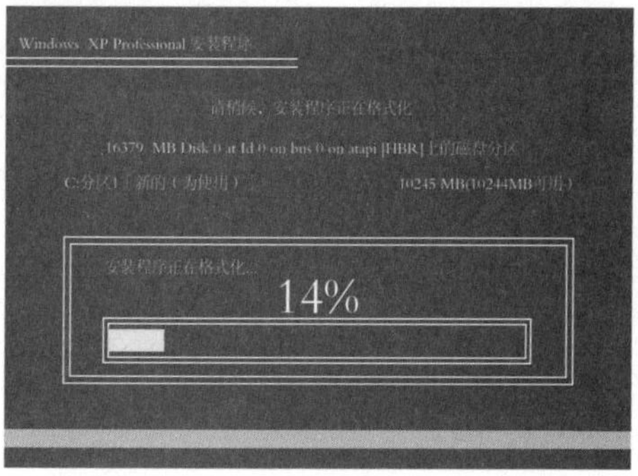
Windows XP Professional 安装程序
14%

成分:
面料 65.5% 羊毛
34.5% 锦纶
里料 100% 聚酯纤维
L 175/100A

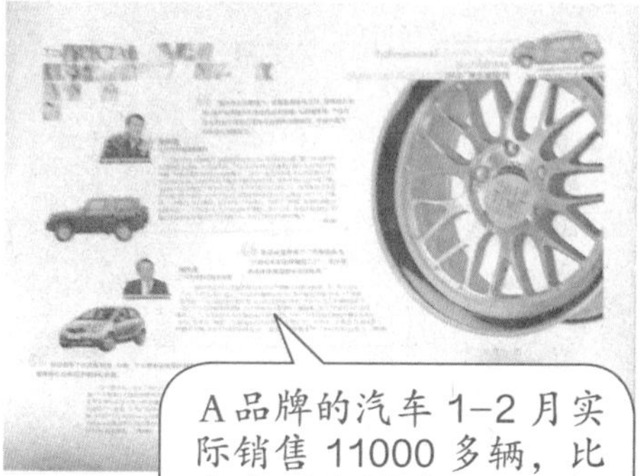
A 品牌的汽车 1–2 月实际销售 11000 多辆，比去年同期增长 120 %，其中刚刚过去的 2 月份销量与去年同期相比增幅甚至达到 241 %。

你还在什么地方见过上面这样的数？

像上面这样的数，如 14 %、65.5 %、120 %……叫做**百分数**。

百分数表示一个数是另一个数的百分之几，如 14 % 表示一个数占另一个数的 $\frac{14}{100}$。

你能说说上面图中几个百分数各表示什么意思吗？

第一个图中的 14 % 表示已经格式化的部分占所要格式化的总量的 $\frac{14}{100}$。

第二个图中的 65.5 % 表示羊毛占……

百分数也叫做**百分率**或**百分比**。

百分数通常不写成分数形式，而在原来的分子后面加上百分号“%”来表示，读作“百分之……”。

14 %	读作	百分之十四
65.5 %	读作	百分之六十五点五
120 %	读作	百分之一百二十

做一做

1. 写出下面的百分数。

百分之一　　　　百分之二十八　　　　百分之零点五

________　　　　__________　　　　__________

2. 读一读下面的百分数。

17 %	45 %	99 %	100 %	140 %
0.6 %	7.5 %	33.3 %	121.7 %	300 %

3. 说一说百分数和分数在意义上有什么相同和不同。

◎ 你知道吗？◎

19 世纪中期，德国统计学家、经济学家恩格尔对比利时不同收入的家庭消费情况进行了调查，提出了恩格尔定律：一个家庭收入越少，用于购买食品的支出在家庭收入中所占的比率就越大。这一定律是通过恩格尔系数反映出来的。

恩格尔系数 = 食品支出总额 / 家庭消费支出总额 ×100 %

联合国根据恩格尔系数的大小，对世界各国的生活水平进行了划分，一个国家平均家庭的恩格尔系数大于 60 % 为贫穷；50 % ~ 60 % 为温饱；40 % ~ 50 % 为小康；30 % ~ 40 % 属于相对富裕；20 % ~ 30 % 为富裕；20 % 以下为极其富裕。

改革开放以来，我国城镇和农村居民家庭的恩格尔系数已由 1978 年的 57.5 % 和 67.7 % 分别下降到 2010 年的 35.7 % 和 41.1 %。

1

他们两人的命中率分别是多少？谁的命中率高？

命中率指的是投中的次数占投篮次数的百分之几。

$3\div5=0.6=\frac{60}{100}=60\%$

$4\div6\approx0.667=\frac{667}{1000}=66.7\%$

除不尽时，通常保留三位小数。

先把小数改写成分母是100的分数，再化成百分数。

$3\div5=\frac{3}{5}=\frac{3\times20}{5\times20}=\frac{60}{100}=60\%$

$4\div6=\frac{4}{6}=\cdots\cdots$

答：王涛和李强的命中率分别是60%和66.7%。李强的命中率高些。

把小数化成百分数，只要小数点向右移动……

把分数化成百分数，可以……

在实际生活中，像上面这样常用的百分率还有许多。如学生的出勤率、绿豆的发芽率、产品的合格率、小麦的出粉率、树木的成活率等。

$出勤率=\frac{出勤的学生人数}{学生总人数}\times100\%$

$发芽率=\frac{(\quad)}{(\quad)}\times100\%$

你还能说出一些百分率的例子吗？

2 春蕾小学的一项调查表明，有牙病的学生人数占全校人数的 20 %。春蕾小学共有 750 名学生，有牙病的学生有多少人？

求一个数的百分之几和求一个数的几分之几，意义一样吗？

$$750 \times 20\%$$
$$=750 \times \frac{20}{100}$$
$$=750 \times 0.2$$
$$=150（人）$$

我把百分数改写成分母是 100 的分数，再直接写成小数。

$$750 \times 20\%$$
$$=750 \times \frac{20}{100}$$
$$=750 \times \frac{1}{5}$$
$$=150（人）$$

我把百分数改写成分母是 100 的分数，直接用分数乘法计算。

答：有牙病的学生有 150 人。

把百分数化成小数，只要小数点向左移动……

百分数本来就是一种特殊的分数……

做一做

1. 把下面的小数和分数改成百分数，百分数改成小数和分数。

0.97	0.08	0.005	$\frac{1}{4}$	$\frac{1}{8}$	$\frac{1}{6}$
97 %	8 %	0.5 %	25 %	12.5 %	16.7 %

2. 六年级有学生 160 人，已达到国家体育锻炼标准的有 120 人。六年级学生的体育达标率是多少？

3. 六年级一班有 45 名学生，上学期期末跳远测验有 80 % 的人及格。及格的同学有多少人？

练 习 十 八

1. 读出服装中各成分的百分数。

羊毛 86 %
羊绒 14 %

棉 63.2 %
涤纶 36.8 %

棉 60.2 %
涤纶 36.4 %
氨纶 3.4 %

2. 写出下面的百分数。

（1）世界总人口中几乎有百分之五十的人口年龄低于 25 岁。

（2）有百分之二十九的少年儿童表示“目前最要好的朋友”是老师。

（3）感冒百分之九十左右是由病毒引起的，百分之十左右由细菌引起。

3. 根据下面的百分数，用涂色的方式设计出你喜欢的图案。

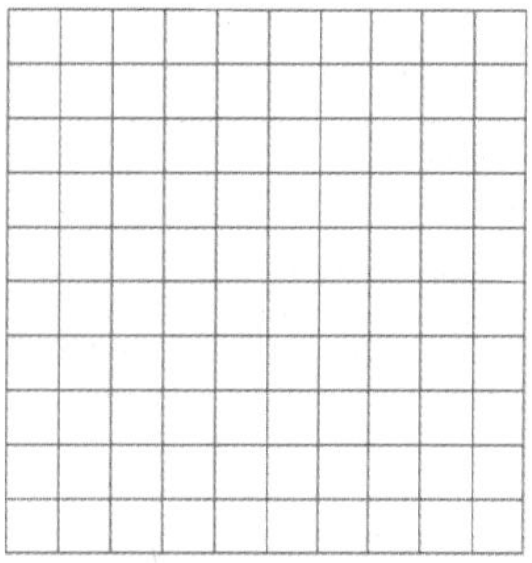

17 %

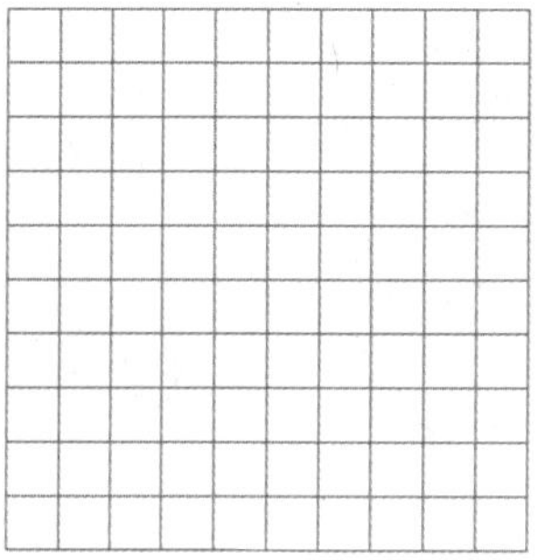

32 %

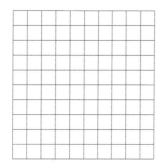

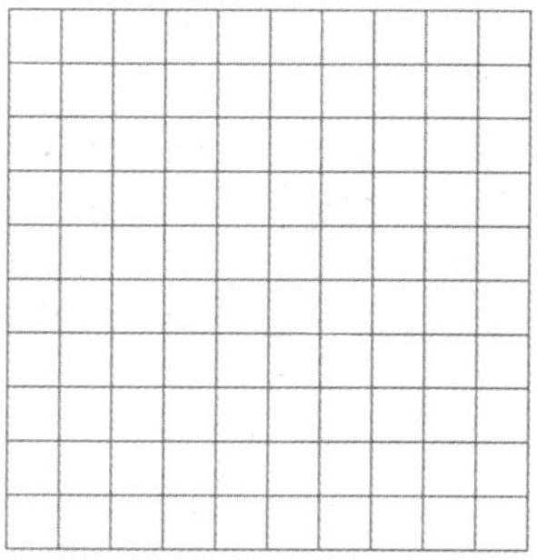

41 %

4.

◎ 科学小资料 ◎

空气中氧气约占 $\frac{1}{5}$。

地球上现存的动物中昆虫约占 $\frac{4}{5}$。

我国陆地面积约占世界陆地（南极洲除外）面积的 $\frac{1}{14}$。

你能用百分数表示出其中的分数吗？

5. 榨油厂的李叔叔告诉小静："2000 kg 花生仁能榨出花生油 760 kg。"这些花生的出油率是多少？

6. 生物小组进行玉米种子发芽试验，每次试验结果如下：

试验次数	试验种子数 / 粒	发芽种子数 / 粒	发芽率
1	300	285	
2	300	282	
3	300	294	
4	300	291	

7. 分别用百分数、小数、分数表示直线上的各点。

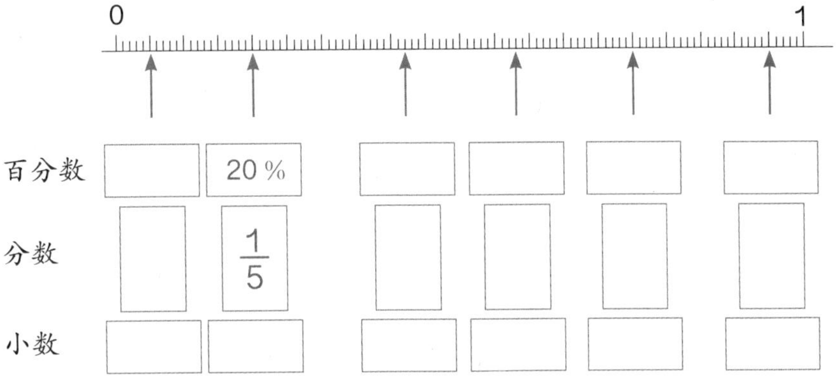

8. 填表。

百分数	32 %					0.5 %
小　数		1.5		0.025		
分　数			$\frac{1}{3}$		$\frac{3}{8}$	

9. 百花胡同小学有 480 人，只有 5 % 的学生没有参加意外事故保险。没有参加意外事故保险的学生有多少人？

10.（1）油菜籽的出油率是 42 %。2100 kg 油菜籽可榨油多少千克？
（2）油菜籽的出油率是 42 %。一个榨油厂榨出 2100 kg 菜籽油，用了多少千克油菜籽？

11．收集一些生活中的百分数，说说它们的含义。

12．

据医学测试，人静止不动时，从头部散失的热量很多。在穿得暖和，但不戴帽子，气温为 15 ℃ 时，从头部散失的热量占人体散失总热量的 30 %，4 ℃ 时占 $\frac{3}{5}$，零下15 ℃ 时占 $\frac{3}{4}$。因此，有句俗话说“冬季戴棉帽，如同穿棉袄”。

上面的哪个气温时从头部散失的热量最多？怎样比较更快一些？

13．人体大约每天需要摄入 2500 mL 的水分，其中从食物中获得的约为 1200 mL，饮水获得的约为 1300 mL。

（1）从食物中获取的水分占每日摄水量的百分之几？

（2）饮水获得的水分占每日摄水量的百分之几？

14．城关一中和城关二中的男生人数分别占全校学生总数的 52 % 和 54 %，城关一中有学生 800 人，城关二中有学生 750 人，哪个学校的男生多？多多少人？

15．滨海小学对学生吃早餐的情况进行了调查，结果如下：

	人数 / 人	占学校总人数的百分之几
每天吃早餐	391	85 %
不能做到每天吃早餐		

请你将表格补充完整，并求出滨海小学的学生总人数。

3

我们原计划造林12公顷，实际造林14公顷。
你们实际造林比原计划增加了（　　）%。

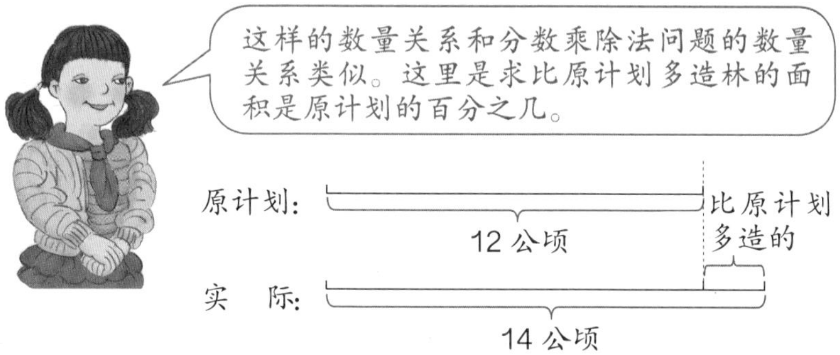
这样的数量关系和分数乘除法问题的数量关系类似。这里是求比原计划多造林的面积是原计划的百分之几。
原计划：
12 公顷
比原计划多造的
实　际：
14 公顷

$$(14-12)\div12=2\div12\approx0.167=16.7\%$$

也可以先求实际造林是原计划的百分之几。

$$14\div12\approx1.167=116.7\%$$

$$116.7\%-100\%=16.7\%$$

答：实际造林比原计划增加了 16.7%。

在实际生活中，人们常用“增加百分之几”“减少百分之几”“节约百分之几”……来表示增加、减少的幅度。

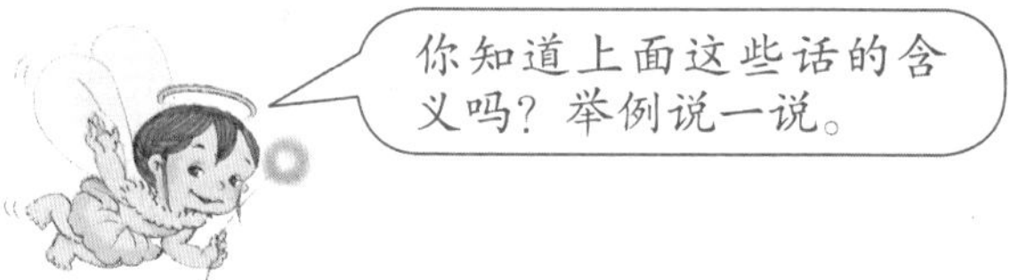
你知道上面这些话的含义吗？举例说一说。

做一做

小飞家原来每月用水约 10 t，更换了节水龙头后每月用水约 9 t，每月用水比原来节约了百分之几？

4 学校图书室原有图书 1400 册，今年图书册数增加了 12 %。现在图书室有多少册图书？

把“1400 册”看做单位“1”。

1400×12 % =168（册）

1400+168=1568（册）

1400×(1+12 %)

=1400×112 %

= ＿＿＿＿＿＿（册）

答：现在图书室有 1568 册图书。

5 某种商品 4 月的价格比 3 月降了 20 %，5 月的价格比 4 月又涨了 20 %。5 月的价格和 3 月比是涨了还是降了？变化幅度是多少？

阅读与理解

知道了每两个月之间的价格变化幅度，要求的是……

可是商品原来的价格未知啊。

分析与解答

可以假设此商品 3 月的价格是 100 元。

$100\times(1-20\%)=100\times0.8=80$（元）

$80\times(1+20\%)=80\times1.2=96$（元）

$96\div100=0.96=96\%$

所以，5 月的价格是 3 月的 96 %。

也可以直接假设此商品
3 月的价格是 1。

$1\times(1-20\%)\times(1+20\%)=0.96$

$(1-0.96)\div1=0.04=4\%$

回顾与反思

如果此商品 3 月的价格是 a 元呢？结论是否一致？

虽然降价和涨价幅度都是 20 %，但降价和涨价的具体钱数却不同。

答：5 月的价格比 3 月降了 4 %。

做一做

1. 龙泉镇去年有小学生 2800 人，今年比去年减少了 0.5 %。今年有小学生多少人？

2. 为了缓解交通拥挤的状况，某市正在进行道路拓宽。团结路的路宽由原来的 12 m 增加到 25 m，拓宽了百分之几？

3. 某电视机厂计划某种型号的电视机比去年增产 50 %，实际又比计划的产量多生产了 10 %。此型号的电视机今年的实际产量是去年的百分之多少？

练习十九

1. 填空。

（1）为了迎接运动会，同学们做了 25 面黄旗，30 面红旗，做的红旗比黄旗多____面，多____%。

（2）育新小学图书馆有图书 4000 册，新风小学图书馆有图书 5000 册，育新小学的图书比新风小学的少____册，少____%。

2. 西藏境内藏羚羊的数量 1999 年是 7 万只左右，到 2003 年 9 月增加到 10 万只左右。2003 年 9 月藏羚羊的数量比 1999 年增加了百分之几？

3.

现在乘火车去奶奶家的时间比原来节省了百分之几？

4. 我国著名的淡水湖——洞庭湖，因水土流失引起泥沙沉积等原因，湖面面积已由原来的大约 4350 km^2 缩小为约 2700 km^2，洞庭湖的湖面面积减少了百分之几？

5.

我已经录入了 1600 个字，正好录入了全文的 40 %。

（1）全文共有多少个字？

（2）还有多少字没有录入？

6. 一个长方体木块长、宽、高分别是 5 cm、4 cm、3 cm。如果用它锯成一个最大的正方体，体积要比原来减少百分之几？

7. 养鸡场用 2400 个鸡蛋孵小鸡，有 5 % 没有孵出来，孵出来的小鸡有多少只？

8. 

曙光小学以往的跳高纪录是 1.3 m。王平的跳高成绩比这一纪录高了 10 %。王平的跳高成绩是多少？

9. 袁隆平是我国著名科学家，被誉为“杂交水稻之父”。2011 年，袁隆平指导的杂交水稻试验田平均每公顷产量达到近 14 t，比全国水稻平均每公顷产量多了约 85 %。2011 年全国平均每公顷水稻产量大约是多少吨？

10. 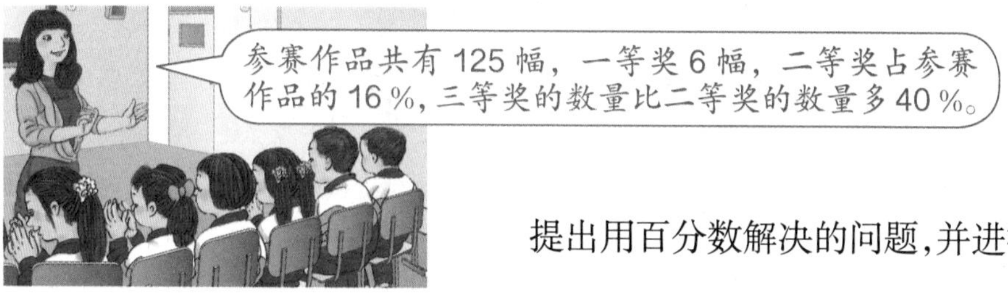
参赛作品共有 125 幅，一等奖 6 幅，二等奖占参赛作品的 16 %，三等奖的数量比二等奖的数量多 40 %。

提出用百分数解决的问题，并进行解答。

11. 
9 月初又比 8 月初回落了 15 %。
8 月初鸡蛋价格比 7 月初上涨了 10 %。
鸡蛋

9 月初鸡蛋价格比 7 月初涨了还是跌了？涨跌幅度是多少？

12. 某种蔬菜去年 3 月第一周比上一周涨价 5 %，第二周比第一周涨价 5 %。两周以来共涨价百分之多少？

13. 某品牌的数码相机进行促销活动，降价 8 %。在此基础上，商场又返还售价 5 % 的现金。此时买这个品牌的数码相机，相当于降价百分之多少？

14. 红光农场去年植树的数量比前年成活的树木多 50 %，去年的成活率是 80 %。去年成活的树木数量是前年成活树木的百分之多少？

整理和复习

本单元你学习了哪些百分数的知识？这些知识对你来说是完全陌生的吗？
其实，百分数是一种特殊的分数，在解决实际问题时可以联系分数的实际问题进行思考。
百分数只能表示两个量之间的关系，不能表示一个具体量。
生活中有许多百分数的应用，有的百分数可以超过 100 %，有的超不过，如发芽率。

1. 把表填完整。

小数	分数	百分数
0.45		
	$\frac{17}{20}$	
		125 %

2. 李平家用 600 kg 稻谷碾出 420 kg 大米。他家稻谷的出米率是多少？

3. 一种电脑销售中第一次比原价 3600 元降低了 10 %，第二次又降低了 10 %。这种电脑现价多少元？

练 习 二 十

1. 记录一周的天气情况，完成下表。

天气状况	天数	占调查天数的百分之几

 或 		

2. 小明统计了自己的储蓄罐里有 125 枚硬币，其中 1 元硬币的数量占 44 %，5 角的占 20 %，1 角的占 36 %。储蓄罐里共有多少钱？

3. 2006 年全国各种运输方式完成旅客运输总量 200.8 亿人次，而 2011 年达到了 351.8 亿人次。2011 年全国各种运输方式完成旅客运输总量比 2006 年增加了百分之多少？

4. 2011 年末全国私人汽车保有量是 7872 万辆，比 2010 年末增长 20.4 %。2010 年末全国私人汽车保有量大约是多少万辆？（得数保留整数。）

本单元结束了，
你有什么收获？

百分数可以反映现实生活中的许多社会信息，非常有用。

我会把解决分数实际问题的方法迁移到百分数实际问题中来。

成长小档案

★★★★★★

7 扇形统计图

1

六（1）班同学最喜欢运动项目的情况如下表。

项目	乒乓球	足球	跳绳	踢毽	其他
人数	12	8	5	6	9
百分比					

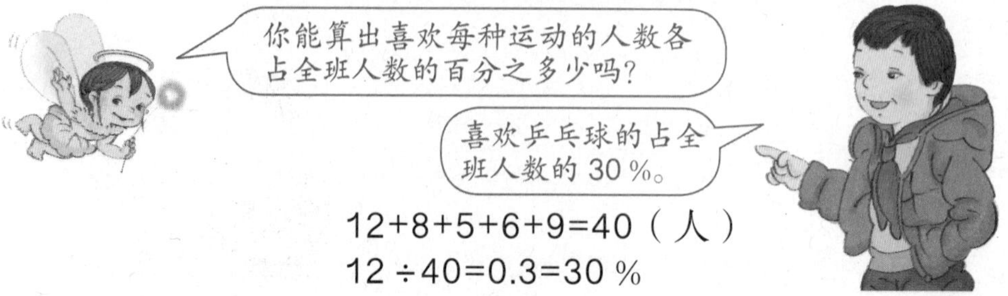

你能算出喜欢每种运动的人数各占全班人数的百分之多少吗？
喜欢乒乓球的占全班人数的 30 %。

12+8+5+6+9=40（人）

12 ÷40=0.3=30 %

我们可以用扇形统计图来表示各部分数量与总数之间的关系。

六（1）班最喜欢的运动项目统计图

2012 年 10 月制

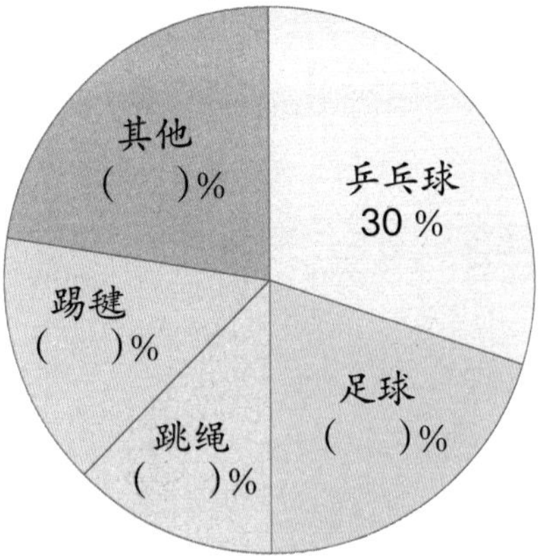

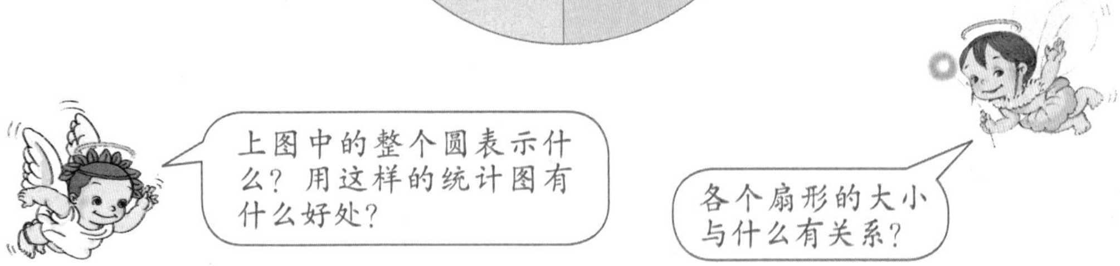

你还能提出什么数学问题吗？

做一做

牛奶里含有丰富的营养成分，各种营养成分所占百分比如下。

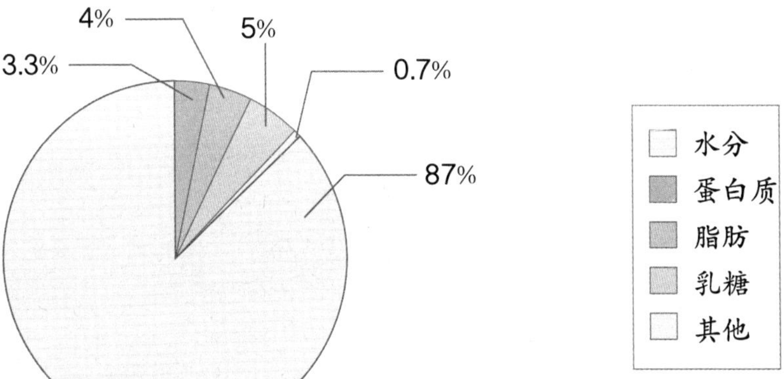

每天喝一袋 250 g 的牛奶，能补充每种营养成分各多少克？

2 下面几组数据分别选用哪种统计图表示更合适？

（1）绿荫小学 2007—2011 年校园内树木总量变化情况统计表。

年份	2007	2008	2009	2010	2011
总量 / 棵	100	120	150	170	200

（2）2011 年绿荫小学校园内各种树木所占百分比情况统计表。

树种	杨树	柳树	松树	槐树	其他
百分比 / %	25	20	15	15	25

（3）2011 年绿荫小学校园内各种树木数量统计表。

树种	杨树	柳树	松树	槐树	其他
总量 / 棵	50	40	30	30	50

第（1）小题给出了 5 年中每年的树木数量。

用条形统计图和折线统计图都可以表示出数量的变化。

绿荫小学 2007—2011 年校园内树木总量变化情况统计图

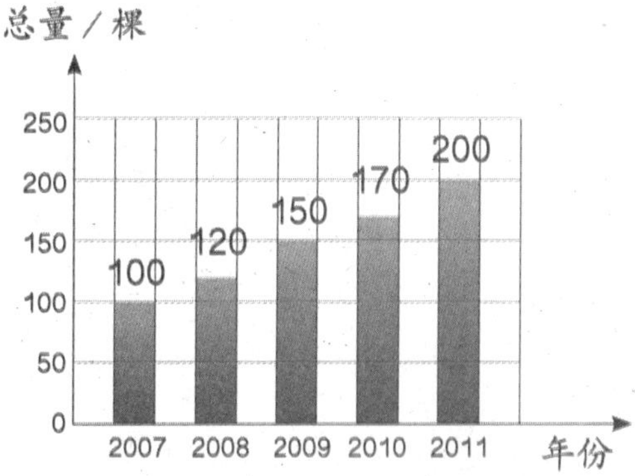

绿荫小学 2007—2011 年校园内树木总量变化情况统计图

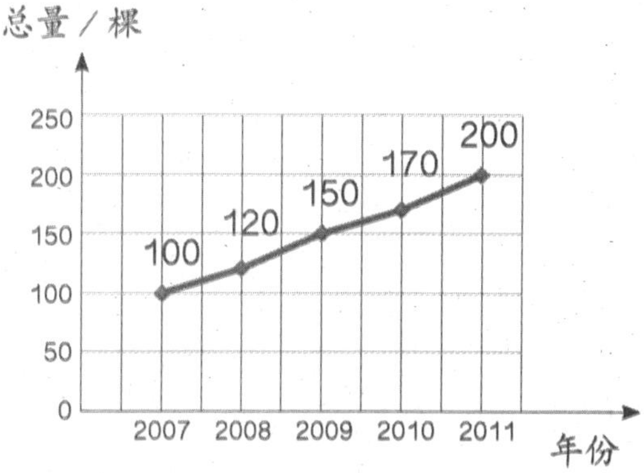

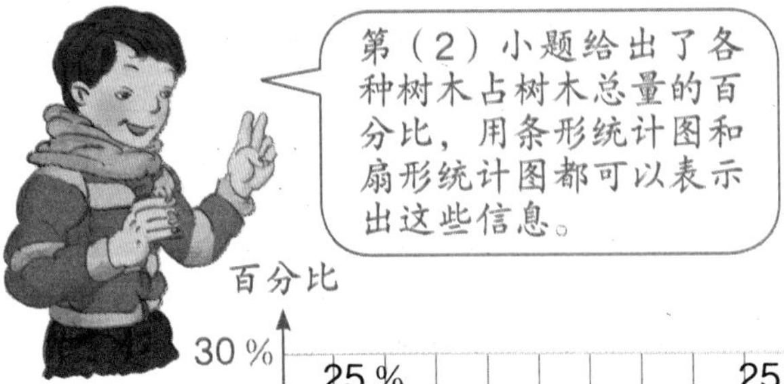

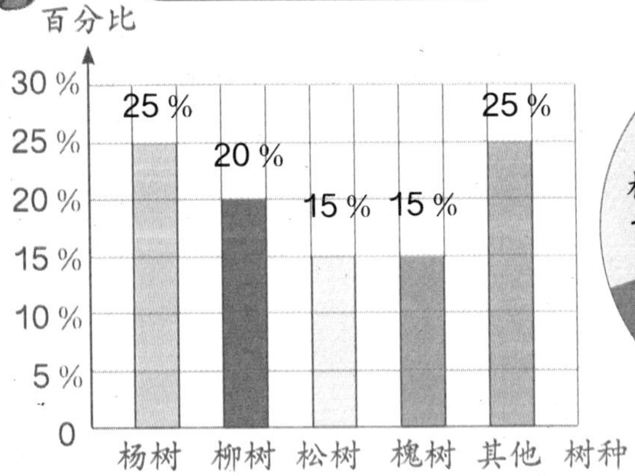

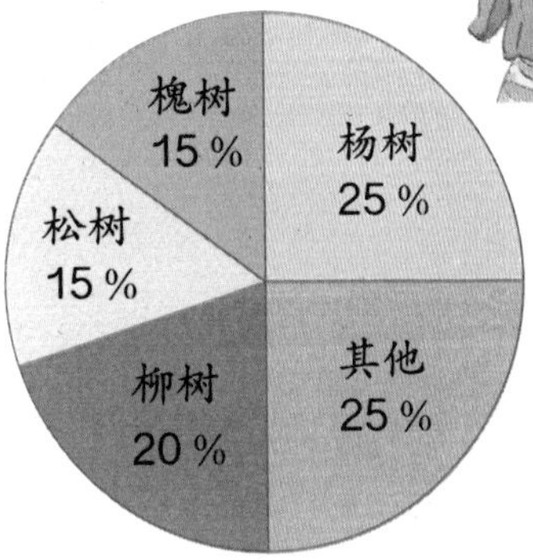

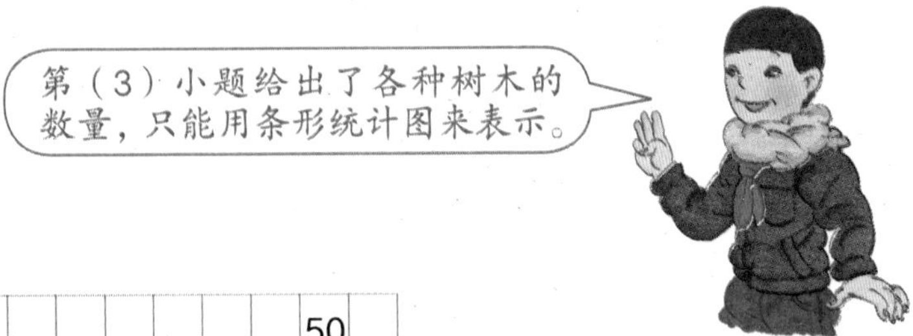

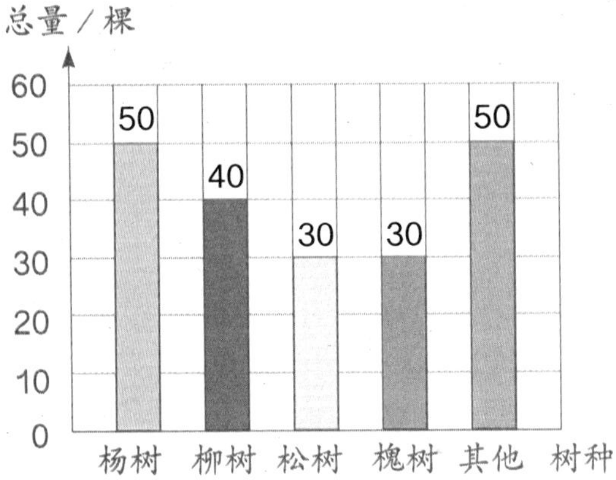

做一做

在林业科学里，通常根据乔木生长期的长短将乔木分成不同的类型。下面是我国乔木林各龄组的面积构成情况。

	幼龄林	中龄林	近熟林	成熟林	过熟林
所占百分比	33.82 %	33.43 %	14.82 %	12.03 %	5.9 %

以上信息可以用什么统计图描述？哪种更直观些？

练 习 二 十 一

1. 李明每天的作息时间安排如下图。

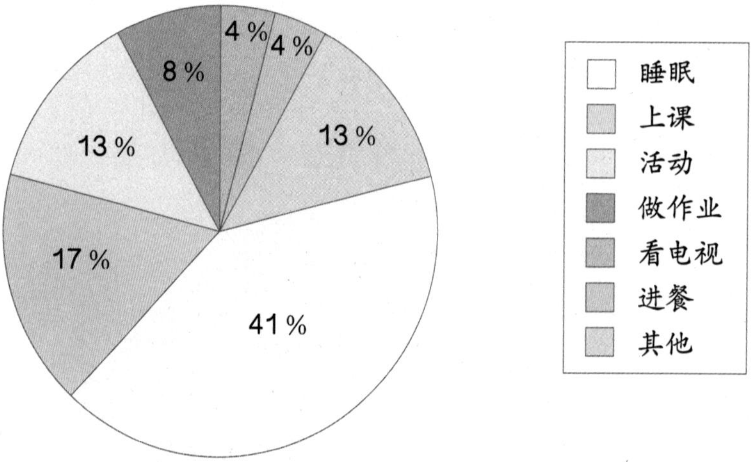

（1）李明每天花多少小时做作业？你还能得到哪些信息？

（2）你认为李明的作息时间安排得合理吗？

（3）你的作息时间与李明的有什么不同？

2. 陈东家每月各种支出计划如下图。

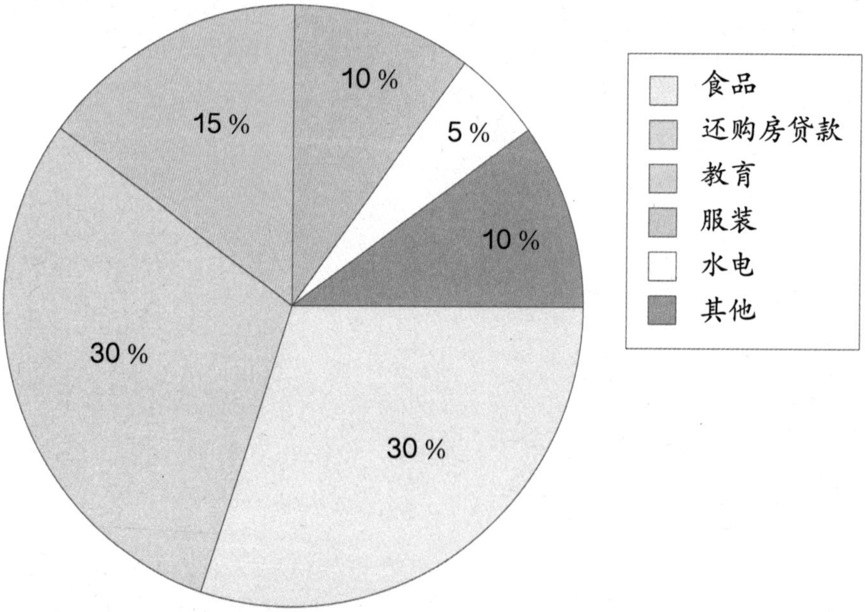

（1）你能得到哪些信息？

（2）如果陈东家每月总计支出 2000 元，你能提出并解决哪些数学问题？

3. 空气的主要成分体积含量各占总体积百分比情况统计如下图。

（1）在 100 L 空气中含有多少升氧气？

（2）估计一下，教室内大约有多少升氧气？

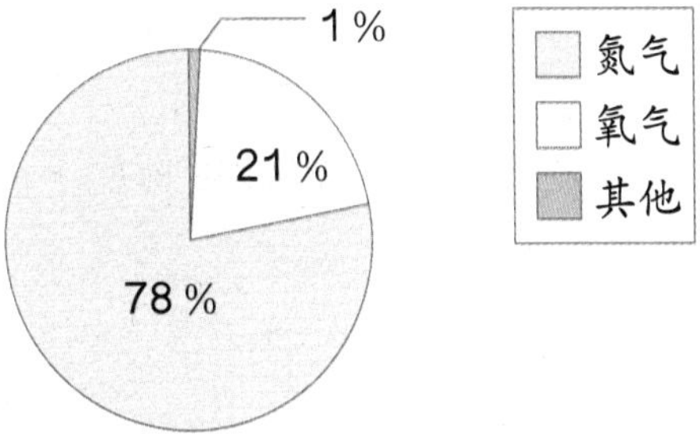

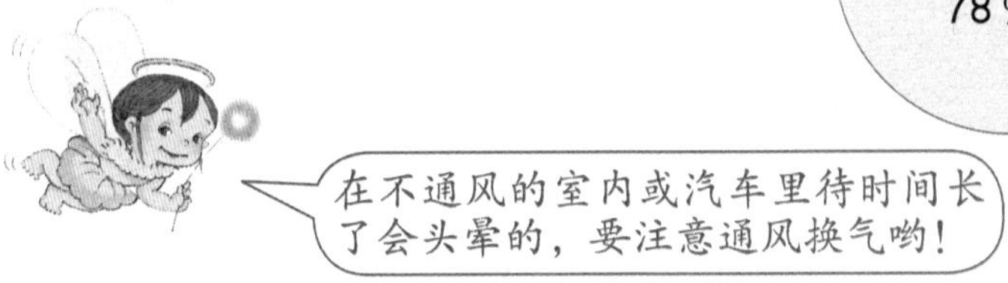

4. 我国国土面积约 960 万平方千米，各种地形所占百分比如右图。

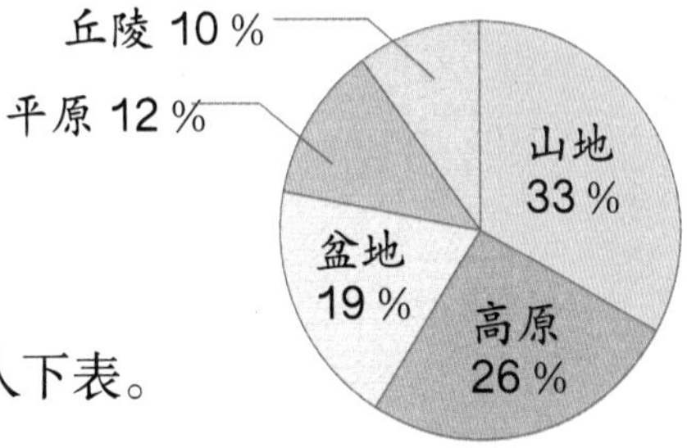

（1）请你计算各种地形的面积，填入下表。

地形	山地	高原	盆地	平原	丘陵
面积 / 万平方千米					

（2）根据这些信息，你能提出什么数学问题？试着解答一下。

5. 下面是广东省 1990 年、2000 年、2010 年总常住人口和城镇常住人口变化的情况。

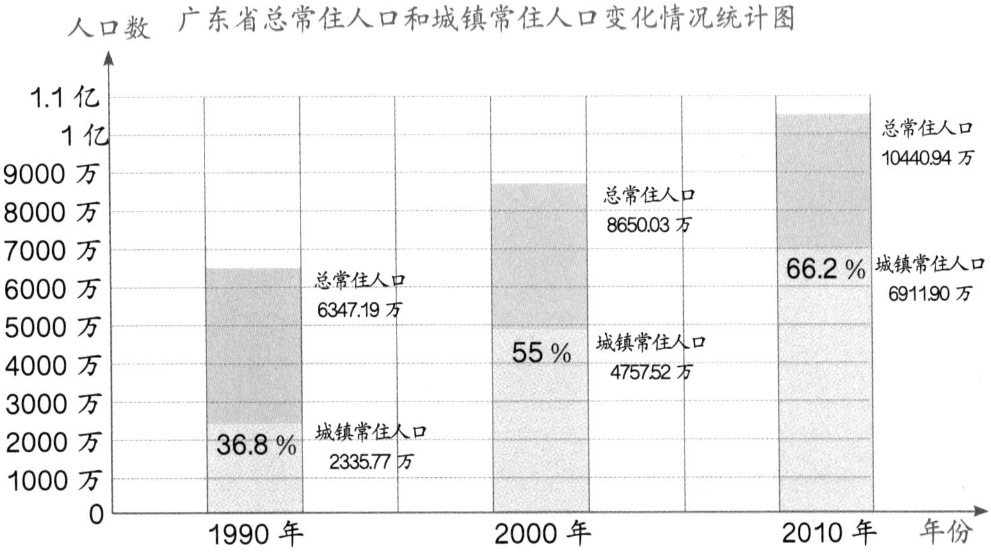

（1）通过统计图中的数据，你能得到哪些有意义的信息？这些信息反映了怎样的变化趋势？

（2）你能根据题目中的统计图，完成下面的两个统计图吗？

广东省总常住人口和城镇常住人口变化折线统计图

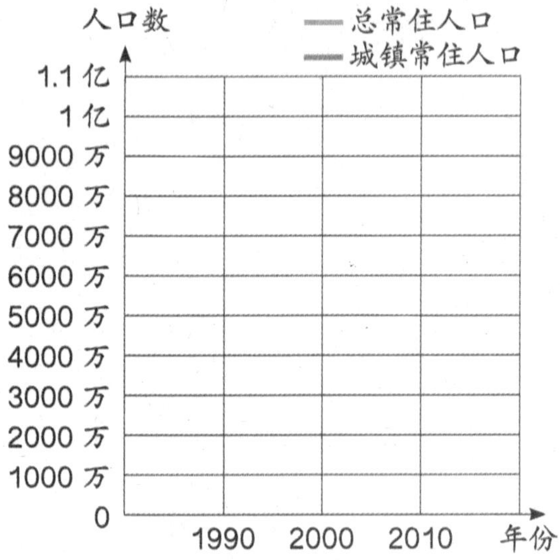

广东省城镇常住人口占总常住人口百分比折线统计图

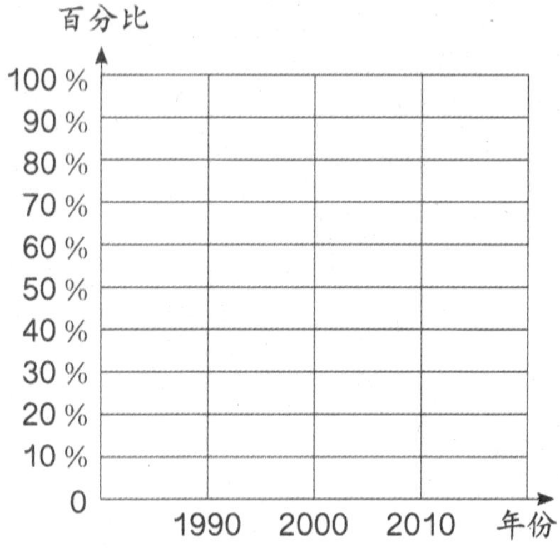

---

6. 下面是我国 2006—2011 年年末电话用户数量的情况。

我国 2006—2011 年年末电话用户数统计图

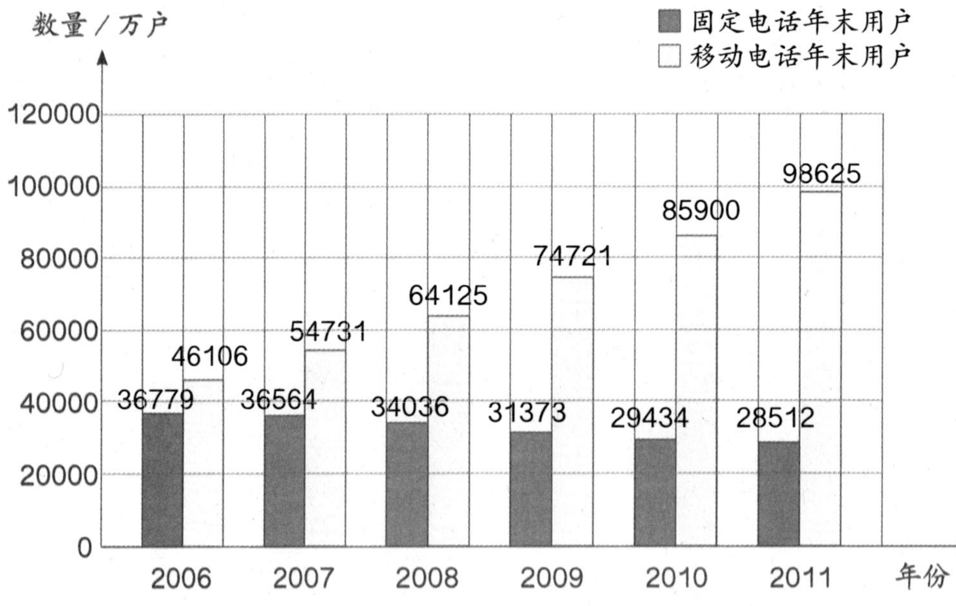

（1）2006 年末，移动电话用户比固定电话用户多百分之多少？ 2011 年呢？根据计算结果，和同学交流一下你的感想。

（2）请你完成下面的统计图。

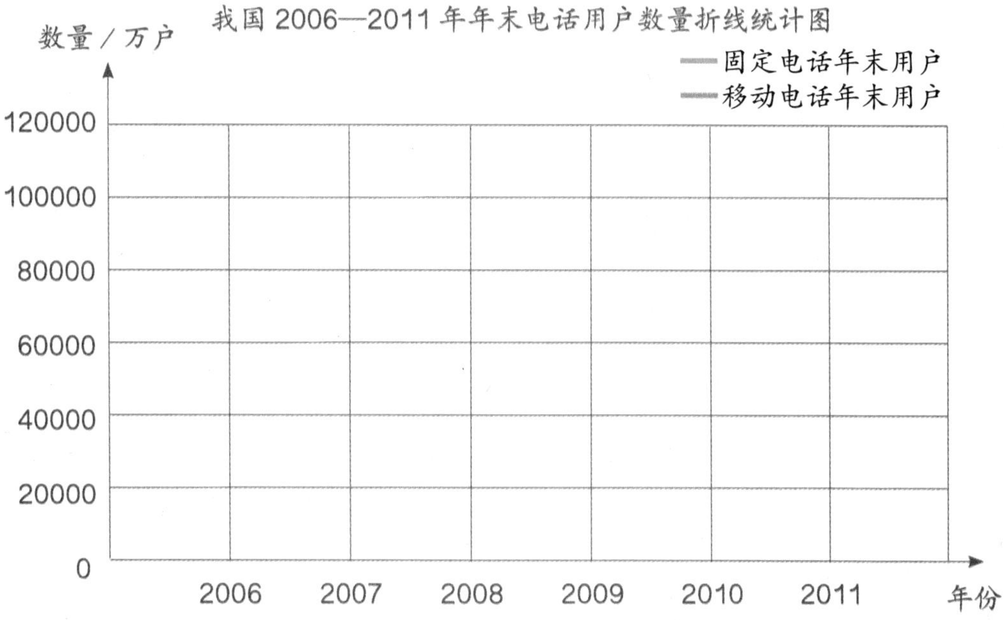

7. 截至 2012 年 6 月末，全国农村网民规模为 1.46 亿，比 2011 年 12 月末增加 1464 万。

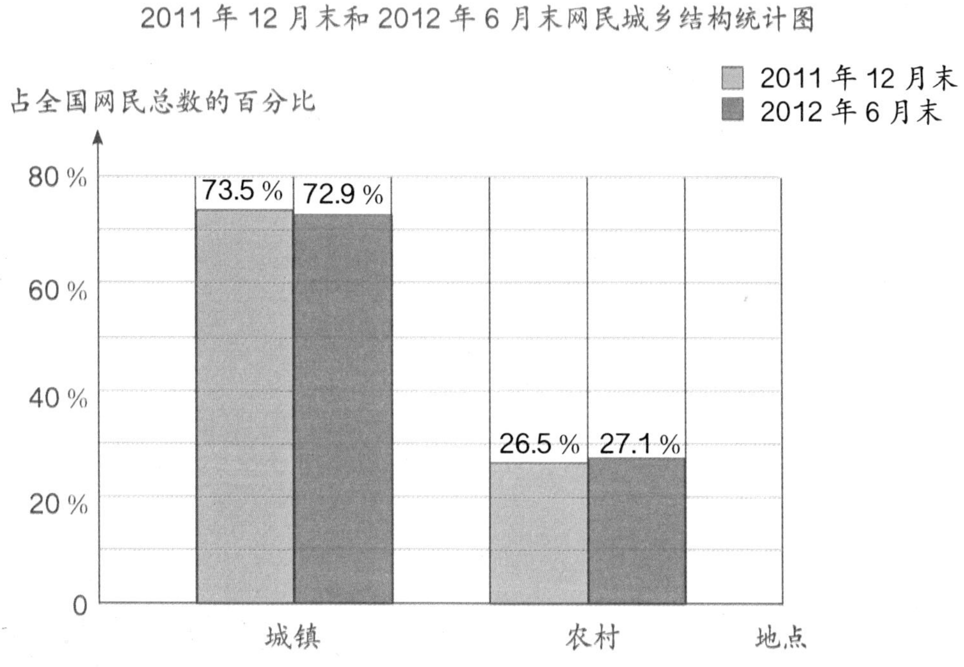

（1）截至 2012 年 6 月末，我国共有网民多少人？

（2）2011 年 12 月末，我国共有农村网民多少人？

（3）请你把下页的扇形统计图补充完整。

2012 年 6 月末网民城乡结构统计图

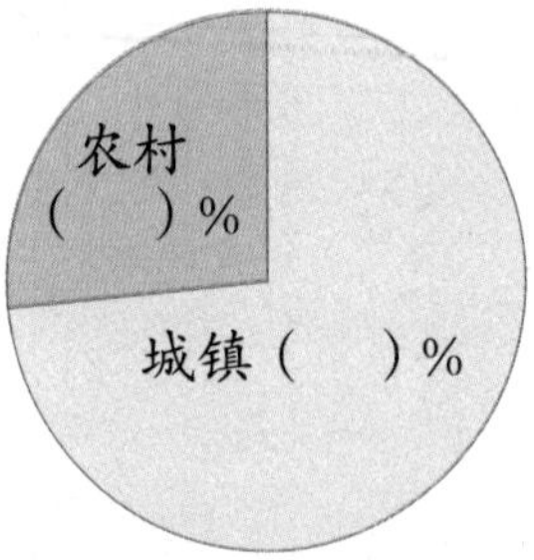

_____年___月末网民城乡结构统计图

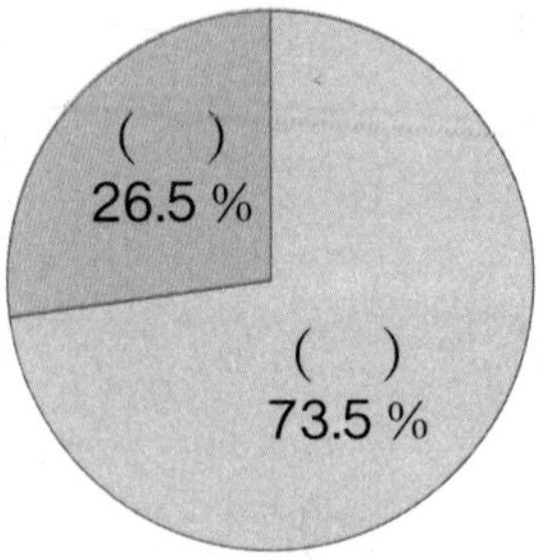

8. 下表是我国土地利用类型的大致构成情况。

可利用土地				难利用土地
工矿、交通、城市用地和内陆水域等	草地	林地	耕地	沙漠、石头、山地、永久积雪和冰川
15.7 %	32.6 %	16.6 %	13.5 %	21.6 %

(1) 耕地占可利用土地的百分之多少?

(2)* 请选用合适的统计图表示出上表中的相关信息。

本单元结束了，你有什么收获?

成长小档案

不同的统计图有不同的作用，也有不同的适用条件。
扇形统计图可以直观、清楚地表示出各部分占总体的百分之多少。

节约用水

节约用水，从我做起

宝贵的水资源

每年的 3 月 22 日是“世界水日”。我国水资源人均占有量只有 2300 m^3，约为世界人均水平的 $\frac{1}{4}$，排在世界第 121 位，是世界上 13 个贫水国家之一。在我国的 600 多个城市中，有 400 多个城市缺水，其中有 110 个城市严重缺水。

通知

课前大家做好如下准备：

（1）调查周围是否有浪费水的现象。如果有，设法测出在一定时间内浪费水的量，并在课堂上汇报测量的结果。

（2）有条件的同学可以在报纸、图书、互联网上查找有关节约用水的资料。

解决下面的问题。

1. 以小组为单位，测量不同水龙头在一定时间内的漏水量，并制作出像下面这样的条形统计图。

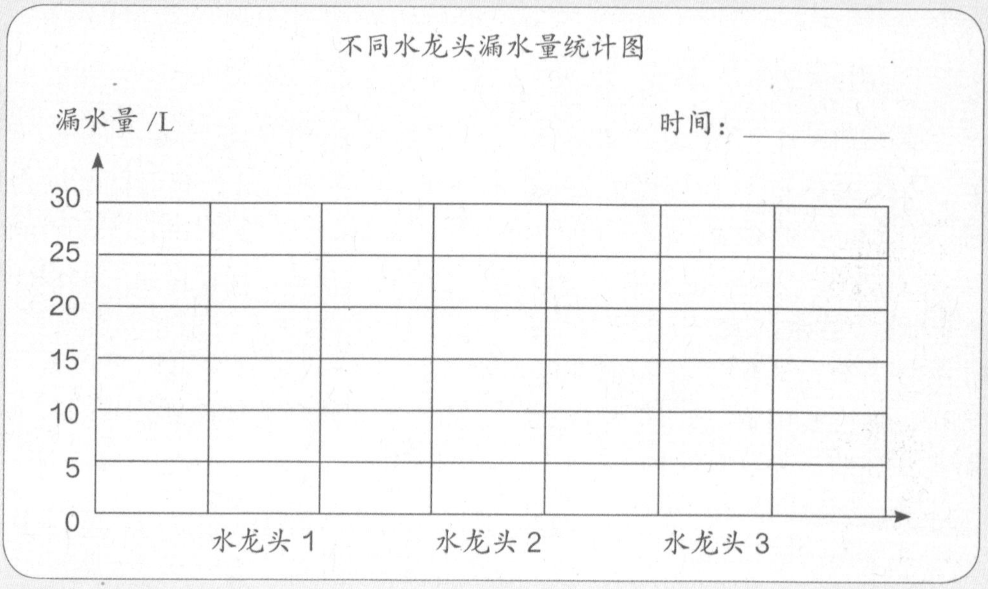

2. 平均每个水龙头一天漏水多少升？一年呢？

3. 学校有几个水龙头漏水？全国大约有 30 万所学校用自来水，如果按照这个比率计算，全年大约要浪费多少吨水？平均每吨水价为 2.5 元，一共要多支付多少水费？如果 1 个人 1 年用 30 t 水，这些水可供多少人用 1 年？

4. 周围有哪些浪费水的现象？你能大致算出一年浪费多少吨水吗？

5. 根据收集到的资料，说一说怎样才能做到节约用水。

刷牙时不要让水龙头一直开着。
洗衣服的最后一道水可用来拖地板。
所有水龙头都应该用节水型的。

8 数学广角——数与形

1

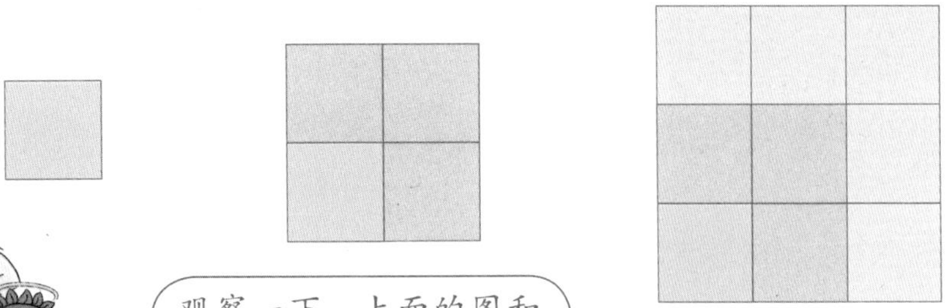

观察一下，上面的图和右边的算式有什么关系？把算式补充完整。

$1=(\quad)^2$

$1+3=(\quad)^2$

$1+3+5=(\quad)^2$

我发现，算式左边的加数是每个正方形图左下角的小正方形和其他“┐”形图中所包含的小正方形个数之和，正好等于每个正方形图中每列小正方形个数的平方。

$1=(\ 1\ )^2$

$1+3=(\ 2\ )^2$

$1+3+5=(\ 3\ )^2$

你能利用规律直接写一写吗？如果有困难，可以画图来帮助。

$1+3+5+7=(\qquad)^2$

$1+3+5+7+9+11+13=(\qquad)^2$

____________________ $=9^2$

2 计算 $\frac{1}{2}+\frac{1}{4}+\frac{1}{8}+\frac{1}{16}+\frac{1}{32}+\frac{1}{64}+\cdots$。

你能发现什么规律？

从第二个数开始，每个数是前一个数的 $\frac{1}{2}$。

$\frac{1}{2}+\frac{1}{4}=\frac{3}{4}$

$\frac{3}{4}+\frac{1}{8}=\frac{7}{8}$

$\frac{7}{8}+\frac{1}{16}=\frac{15}{16}$

…

我一个一个加下去看看，答案好像有点规律。加下去，等号右边的分数越来越接近于1。

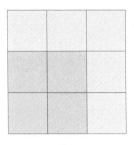

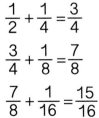

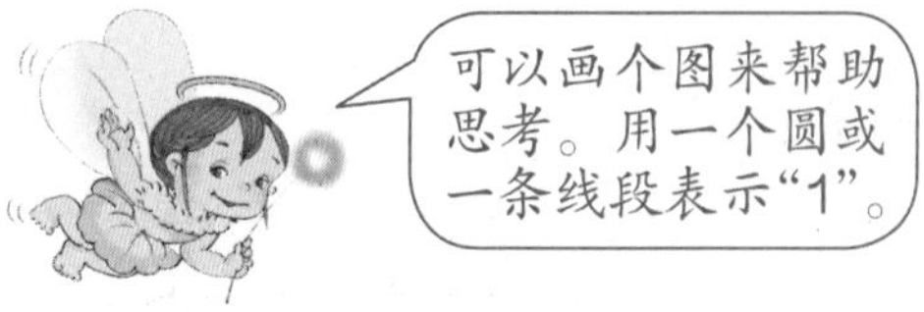

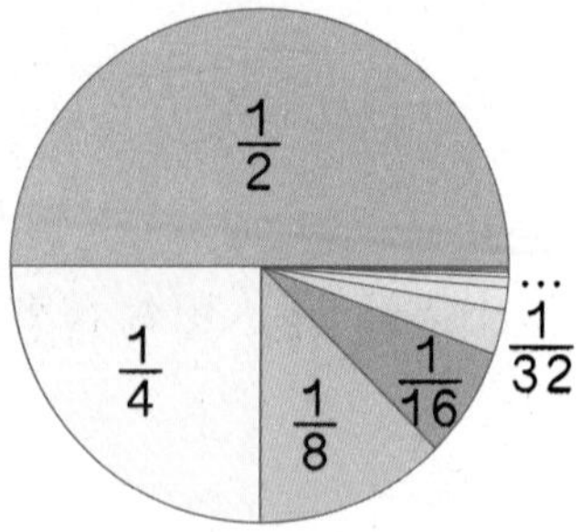

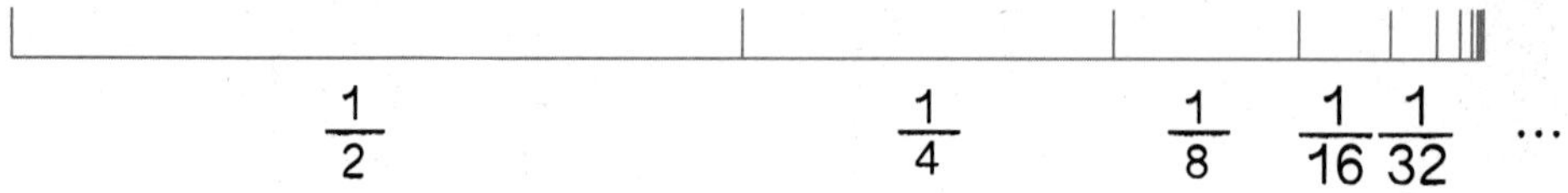

$$\frac{1}{2}+\frac{1}{4}+\frac{1}{8}+\frac{1}{16}+\frac{1}{32}+\frac{1}{64}+\cdots=1$$

做一做

1. 请你根据例 1 的结论算一算。

   1+3+5+7+5+3+1=(　　)
   1+3+5+7+9+11+13+11+9+7+5+3+1=(　　)

2. 下面每个图中各有多少个红色小正方形和多少个蓝色小正方形？

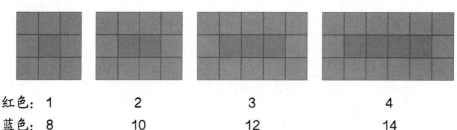

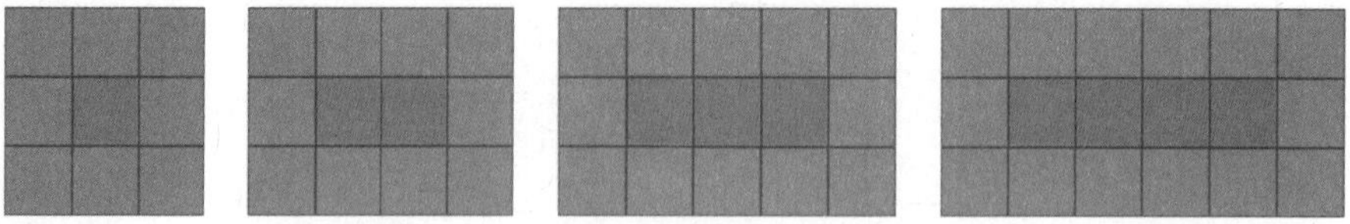

红色：	1	2	3	4
蓝色：	8	10	12	14

照这样接着画下去，第 6 个图形有多少个红色小正方形和多少个蓝色小正方形？第 10 个图形呢？你能解释这其中的道理吗？

练习二十二

1. 下面每个图中最外圈各有多少个小正方形？

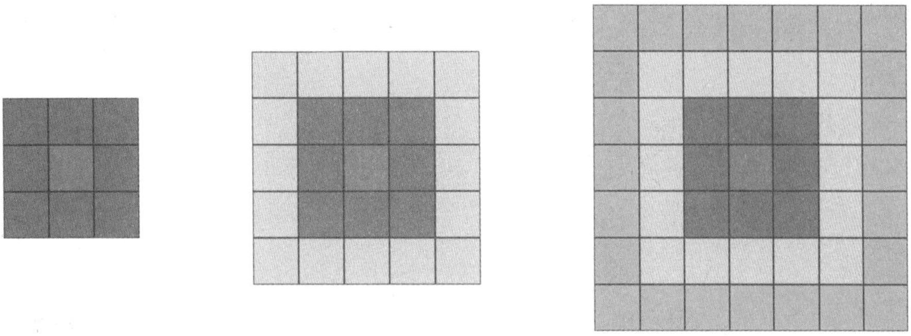

$3^2-1=8$　　　$5^2-3^2=16$　　　$7^2-5^2=24$

照这样的规律接着画下去，第5个图形最外圈有多少个小正方形？你能解释这其中的道理吗？

2.

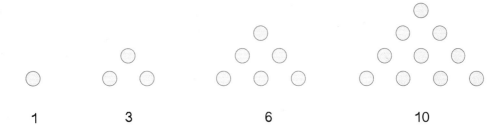

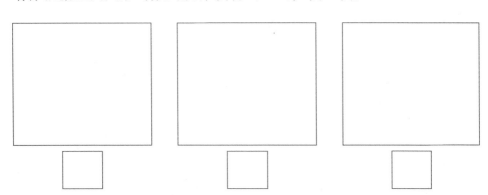

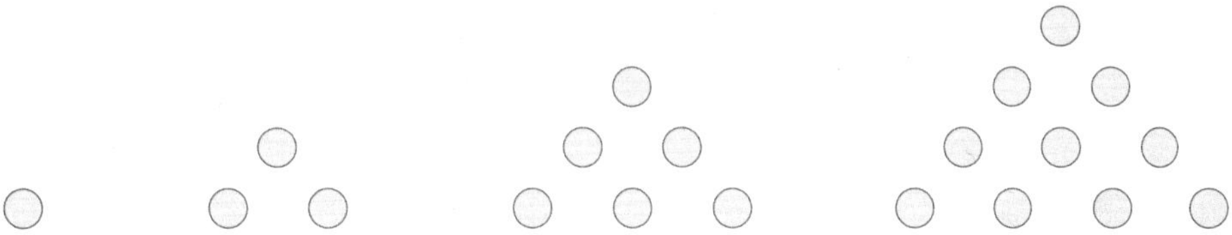

1　　　3　　　6　　　10

请你根据上面图形与数的规律接着画一画，填一填。

如果不画，这样排列下去，第10个数是多少？

3. 下面每个三角形图各是由多少个小三角形组成的？如果小三角形的边长为1，每个三角形图的周长分别是多少？每个三角形图包含小三角形的个数与这个三角形图的周长之间有什么样的关系？

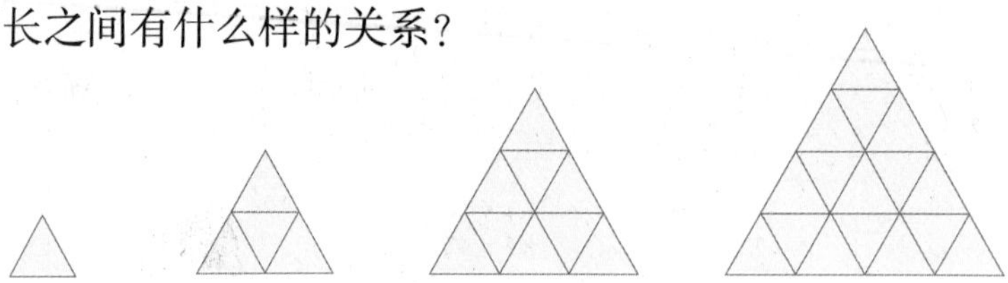

三角形个数：	（　）	（　）	（　）	（　）
周长：	（　）	（　）	（　）	（　）

你能提出什么数学问题？

4. 一条马路长 200 m，小亮和他的小狗分别以均匀的速度同时从马路的起点出发。当小亮走到这条马路一半的时候，小狗已经到达马路的终点。然后小狗返回与小亮相向而行，遇到小亮以后再跑向终点，到达终点以后再与小亮相向而行……直到小亮到达终点。小狗从出发开始，一共跑了多少米？

5. 小兰和爸爸、妈妈一起步行到离家 800 m 远的公园健身中心，用时 20 分钟。妈妈到了健身中心后直接返回家里，还是用了 20 分钟。小兰和爸爸一起在健身中心锻炼了 10 分钟。然后，小兰跑步回到家中，用了 5 分钟，而爸爸是走回家中，用了 15 分钟。下面几个图哪个是描述妈妈离家时间和离家距离的关系？哪个是描述爸爸的？哪个是描述小兰的？

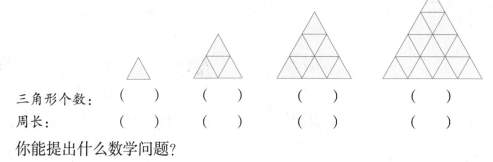

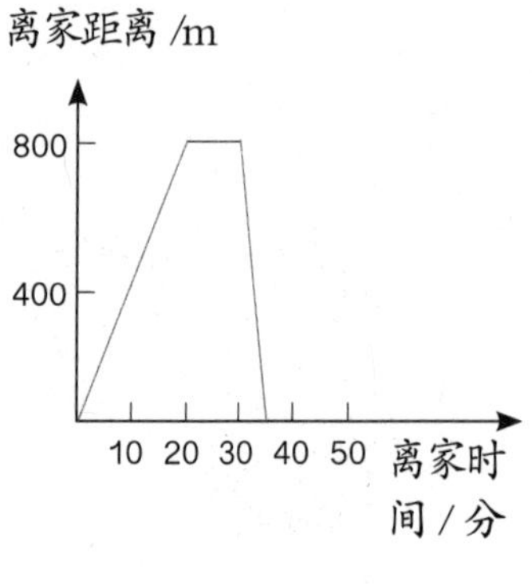

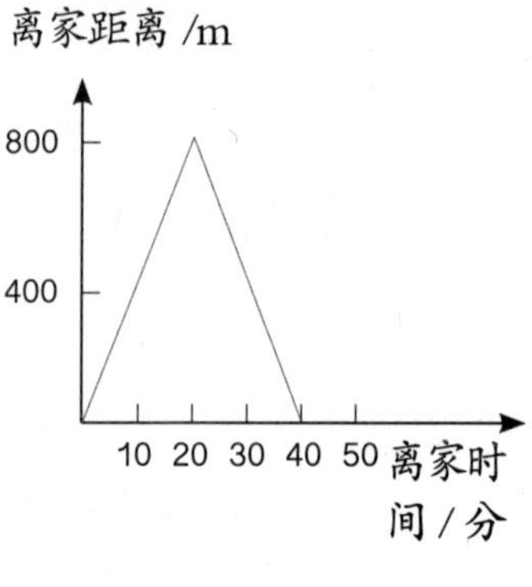

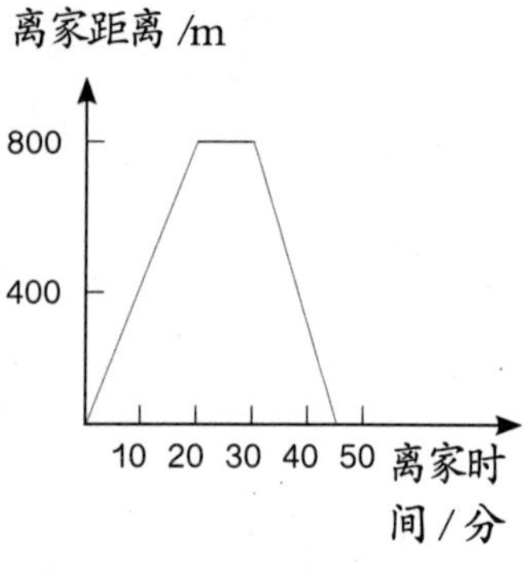

6. 小林、小强、小芳、小兵和小刚 5 人进行象棋比赛，每 2 人之间都要下一盘。小林已经下了 4 盘，小强下了 3 盘，小芳下了 2 盘，小兵下了 1 盘。请问：小刚一共下了几盘？分别和谁下的？

7. 我国宋代数学家杨辉在公元 1261 年撰写了《详解九章算法》，他在这本著作中画了一个由数构成的三角形图，我们把它称为“杨辉三角”。你能发现右面“杨辉三角”图中各数之间的关系吗？你能按照发现的规律把这个三角形表继续写下去吗？试试看。

1

1　1

1　2　1

1　3　3　1

1　4　6　4　1

1　5　10　10　5　1

8.* 你能利用右面的图发现 $(a+b)^2=a^2+2ab+b^2$ 这一公式吗？利用你所学的面积计算的知识，探索一下。

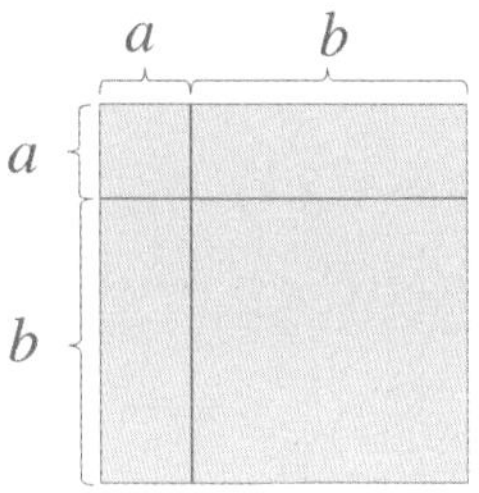

本单元结束了，
你有什么收获？

成长小档案

在解决很多计算问题时，画个示意图可以帮助我们思考。

有时图形的问题中隐藏着许多数的规律。

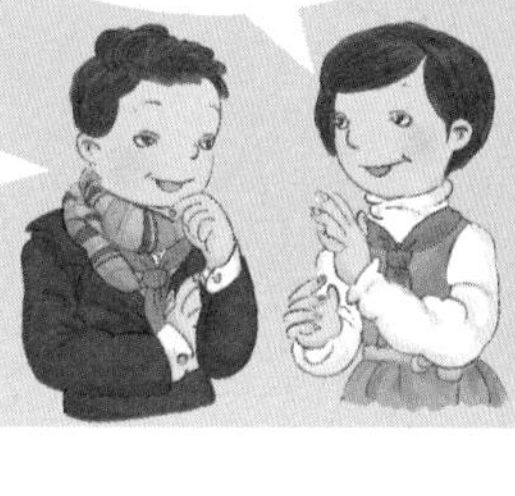

9 总复习

成长小档案

这学期学习了什么？

学习了分数乘、除法的计算方法，还学习了比和百分数的有关知识。

学习了用方向和距离来确定一个点的位置。

学习了圆的性质，会计算圆的周长和面积。

学习了扇形统计图，知道了不同的统计图有各自的特点。

学习中最有趣的事情是什么？

我发现好多知识都是有联系的。比如，分数乘、除法、比和百分数都是相关联的；再如，由长方形的面积来推导圆的面积。

我觉得生活中处处有数学。比如，确定位置、圆、百分数、扇形统计图，都和实际生活紧密相关。

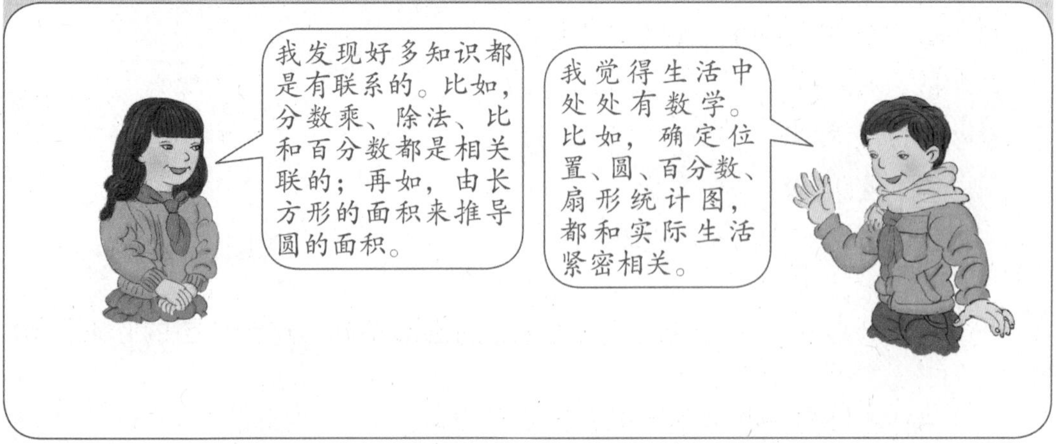

1. 想一想分数乘、除法应怎样计算，再计算下面各题。

$\frac{3}{4}\times\frac{2}{5}=$　　$\frac{2}{3}\times\frac{5}{6}=$　　$\frac{7}{9}\times18=$

$\frac{3}{10}\div\frac{3}{4}=$　　$\frac{5}{9}\div\frac{5}{6}=$　　$21\div\frac{7}{9}=$

$\frac{3}{10}\div\frac{2}{5}=$　　$\frac{5}{9}\div\frac{2}{3}=$　　$\frac{6}{11}\times\frac{5}{12}=$

观察左面两列算式，你能发现乘法与除法之间有什么规律？

2. 说一说比与分数、除法有什么关系，指出下面每个比的前项、后项，并求出比值。

2 : 5　　0.6 : 0.3　　$\frac{4}{12}$

3. 回答下列问题。你认为在解决有关分数、比和百分数的实际问题时，最关键的是什么？

(1) 一件衬衣原价 125 元，现在降价 $\frac{1}{5}$。现在售价是多少元？

(2) 一件衬衣降价 $\frac{1}{5}$ 后，售价为 100 元。这件衬衣原价是多少元？

(3) 一件衬衣原价 125 元，现在降价 20 %。现在售价是多少元？

(4) 一件衬衣降价 20 % 后，售价为 100 元。这件衬衣原价是多少元？

(5) 一件衬衣售价为 100 元，一条长裤的价钱是这件衬衣的 150 %，这条长裤的价钱又是一双皮鞋的 $\frac{5}{6}$。这双皮鞋售价是多少元？

(6) 一件衬衣售价为 100 元，一条长裤的价钱和这件衬衣的价钱之比是 3 : 2。这条长裤售价是多少元？

4. 一个公园是圆形布局，半径长 1 km，圆心处设立了一个纪念碑。公园共有四个门，每两个相邻的门之间有一条直的水泥路相通，长约 1.41 km。

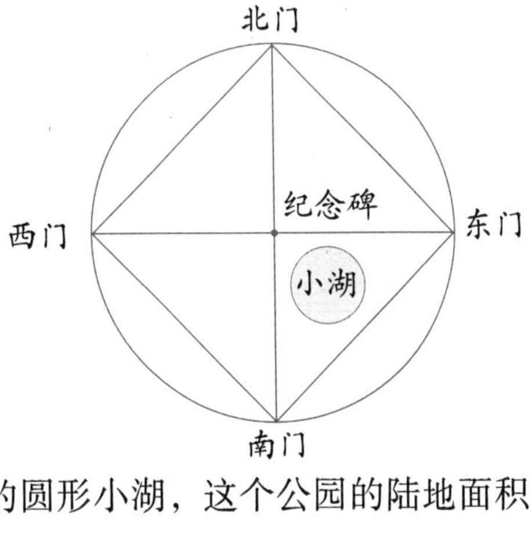

(1) 这个公园的围墙有多长？

(2) 北门在南门的什么方向？距离南门多远？

(3) 如果公园里有一个半径为 0.2 km 的圆形小湖，这个公园的陆地面积是多少平方千米？

(4) 请你再提出一些数学问题并试着解决。

5.

你能提出什么问题？你会解决提出的问题吗？

6. 我国城市空气质量正逐步提高，在 2010 年监测的 330 个城市中，有 273 个城市空气质量达到二级标准。监测城市的空气质量情况如下图所示。

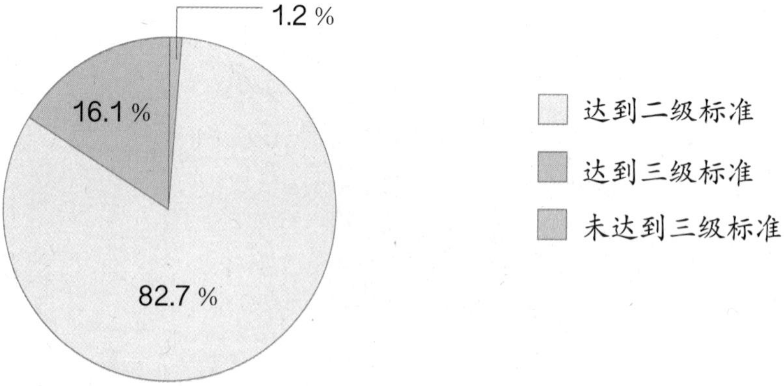

（1）空气质量达到三级标准的城市有多少个？

（2）了解你所在城市的空气质量，讨论一下如何提高空气质量。

练习二十三

1.

$\frac{5}{8}\times$ [$\frac{3}{10}$ / 2 / $\frac{1}{5}$] = [ ]

$\frac{8}{9}\div$ [$\frac{1}{3}$ / 6 / $\frac{2}{3}$] = [ ]

2. 写出下面各数的倒数。

$\frac{2}{7}$　　5　　$\frac{1}{3}$　　1　　$\frac{15}{8}$

3. 把下面各比化成最简单的整数比。

8 : 12　　0.25 : 0.45　　$\frac{1}{4}:\frac{1}{8}$

4. 判断对错，对的画“ √ ”，错的画“×”。

（1）一个真分数的倒数一定比这个真分数大。（　）

（2）一个数乘分数的积一定比原来的数小。（　）

（3）一个数除以分数的商一定比原来的数大。（　）

（4）大牛和小牛的头数比是 4 : 5，表示大牛比小牛少 $\frac{1}{5}$ 。（　）

5. 下面各题怎样简便就怎样算。

$\frac{5}{7}+\frac{5}{6}+\frac{2}{7}+\frac{1}{6}$　　$\frac{1}{15}\times\left(\frac{1}{3}+\frac{1}{12}\right)$　　$\frac{1}{3}+3\div\frac{1}{2}$

$3.7\times\frac{6}{5}+1.3\div\frac{5}{6}$　　$\frac{1}{4}\div\left(3-\frac{5}{13}-\frac{8}{13}\right)$　　$0.5\times\left(\frac{3}{5}+\frac{6}{25}\right)$

6. 地球上海洋面积是 36000 万平方千米，占地球总面积的 $\frac{12}{17}$ 。地球总面积是多少万平方千米？

7. 三个同学跳绳。小明跳了 120 个，小强跳的是小明跳的 $\frac{5}{8}$，小亮跳的是小强跳的 $\frac{2}{3}$ 。小亮跳了多少个？

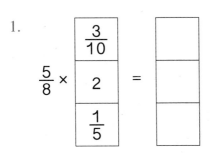

8. （1）五年级同学收集了 165 个易拉罐，六年级同学比五年级多收集了$\frac{2}{11}$。六年级收集了多少个易拉罐？

（2）四年级比六年级少收集了$\frac{1}{3}$，四年级收集了多少个易拉罐？

9. （1）一个县前年绿色蔬菜总产量 720 万千克，是去年绿色蔬菜总产量的$\frac{9}{10}$。去年全县绿色蔬菜总产量是多少万千克？

（2）一个县前年绿色蔬菜总产量 720 万千克，比去年少了$\frac{1}{10}$。去年全县绿色蔬菜总产量是多少万千克？

10. 一列火车的速度是 180 千米 / 时。一辆小汽车的速度是这列火车的$\frac{5}{9}$，是一架喷气式飞机的$\frac{1}{9}$。这架喷气式飞机的速度是多少？

11. （1）用 84 cm 长的铁丝围成一个长方形，这个长方形的长与宽的比是 2 : 1。这个长方形的长与宽分别是多少厘米？

（2）* 用 84 cm 长的铁丝围成一个三角形，这个三角形三条边长度的比是 3 : 4 : 5。三条边各是多少厘米？

12. 取小麦 500 g，烘干后，还有 428 g。计算出这种小麦的烘干率和含水率。

$$烘干率=\frac{烘干后的质量}{烘前的质量}\times 100\%$$

$$含水率=\frac{烘前的质量-烘干后的质量}{烘前的质量}\times 100\%$$

13. 在北纬 70° 以上的地方，一年连续约有 2 个月的时间没有夜晚，没有夜晚的时间占全年的______%。由于纬度比较高，瑞典首都斯德哥尔摩七月份的每天平均日照时间大约是一天的 75 %，有_____小时。

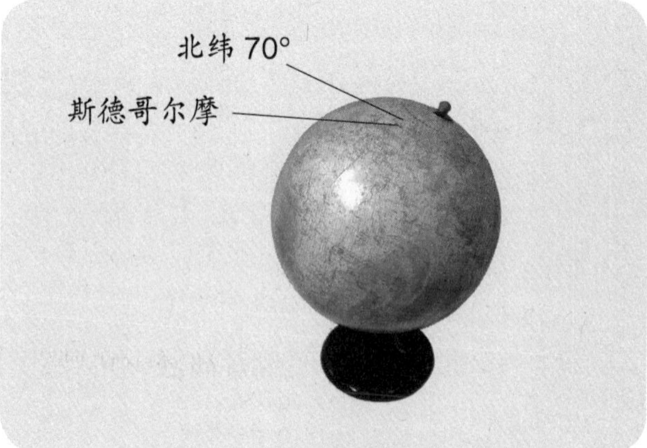

14.

（1）说一说小动物们居住的位置。

（2）请你帮小熊、小象、小鹿解决一下它们提出的问题。

（3）你能提出什么数学问题并加以解决吗？

15. 写出下面各题的最简单的整数比。

（1）一个圆的半径和直径的比是__________。

（2）两个圆的半径分别是 2 cm 和 3 cm，它们的直径的比是________，周长的比是__________，面积的比是__________。

16. 用三张同样大小的正方形白铁皮（边长是 1.8 m），分别按下面三种方式剪出不同规格的圆片。

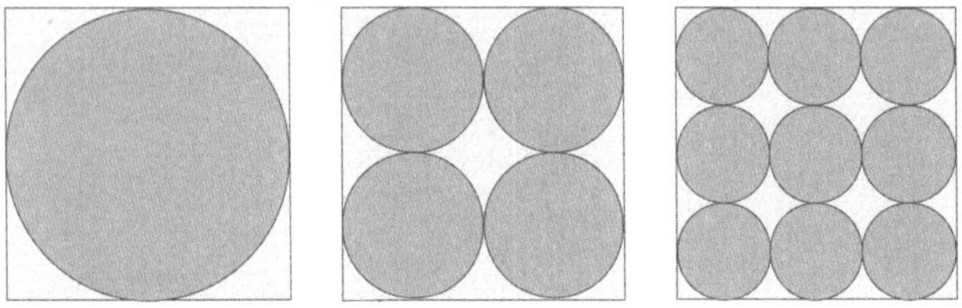

（1）三种圆片中每个的周长分别是多少？

（2）剪完圆后，哪张白铁皮剩下的废料多些？

（3）根据以上的计算，你发现了什么？

17. 近年来，我国石油进口量占全部石油消费量的比率在逐年递增。2010 年我国石油进口量占全部石油消费量的百分比如右图。

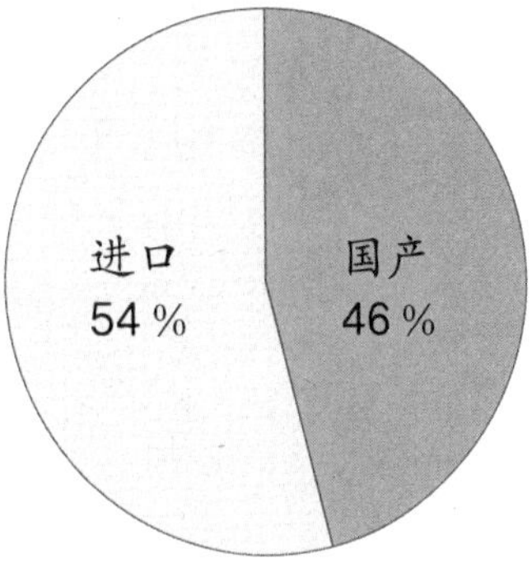

（1）2010 年石油进口量大约是 2.39 亿吨，石油总消费量是多少？

（2）2010 年消费国产石油多少亿吨？

自我评价

同学们，这学期要结束了，给自己的表现画上小红花吧！

学习表现			
喜欢学习数学			
愿意参加数学活动			
上课专心听讲			
积极思考老师提出的问题			
主动举手发言			
喜欢发现数学问题			
愿意和同学讨论学习中的问题			
敢于把自己的想法讲给同学听			
认真完成作业			

你觉得自己还应该在哪些方面更努力些？

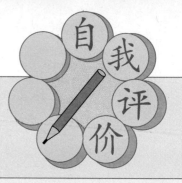

附页

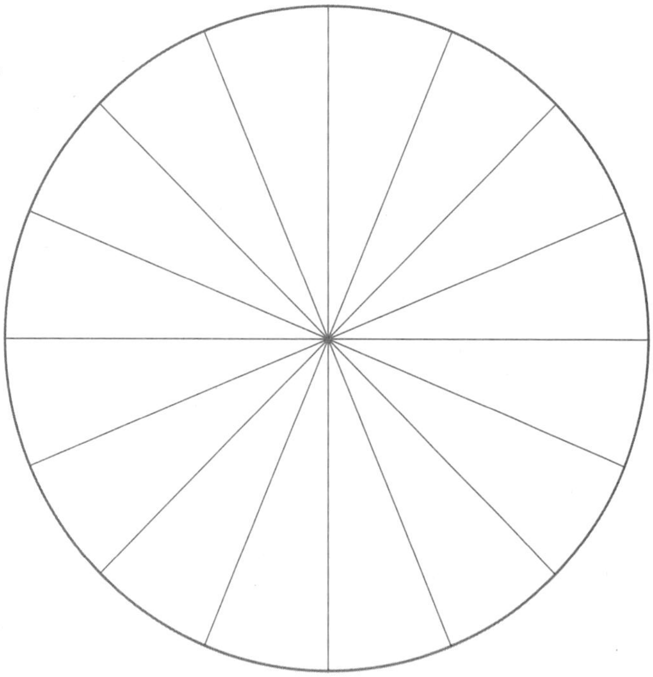

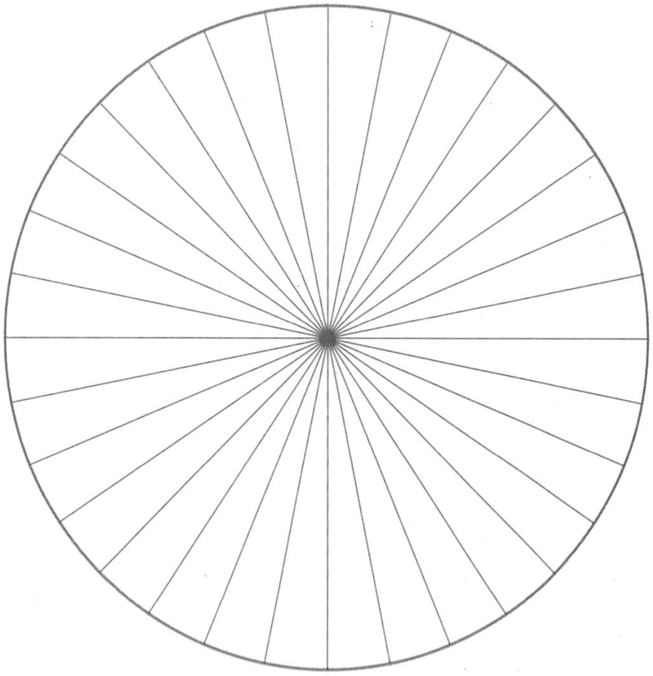